KB003404

왜 베트남 시장인가

전세계 부자들과 투자자들이 주목하는 곳

왜
베트남
시장인가

현지 10년 차 법인장이 들려주는
베트남 투자와 비즈니스의 모든 것!

유영국 지음

클라우드나인

프롤로그

베트남 투자의 적기가 시작된다!

2011년 멀쩡하게 다니던 직장 아모레퍼시픽을 그만두고 아무 연고도 없고 전공인 국문학과도 동떨어진 베트남으로 어학연수를 떠났다. 2012년 아모레퍼시픽 베트남 법인 재입사를 거쳐 현재는 나이스 그룹 베트남 유통 법인장으로 근무 중이다.

필자는 지난 10년 내내 '베트남 시장은 2020년부터'라고 공공 연히 말을 해 사람들로부터 시장 비관론자로 불렸다. 한국의 모든 언론과 경제 기관들이 베트남을 황금알을 낳는 시장으로 연일 보 도했고 수천 개의 한국 기업들이 베트남에 투자하고 있었기에 다 들 필자를 시장 비관론자로 분류했다. 그러다 이제 베트남에 투자 할 때가 되었다고 하니 '비관론자의 긍정적인 전망'이라며 많은 분 들이 관심을 가져주었다. 베트남에 대해 공부하고 다시 살펴보면 서 그런 생각이 틀린 것은 아닌지 여러 번 생각해봤다. 하지만 그 때마다 역시 베트남 시장은 분명 좋은 시장일 수밖에 없고 2020년 부터는 눈에 띄게 좋아질 수밖에 없는 상황이다. 그 이유에 대해서는 앞으로 소개할 연령별 분석을 참고해주길 바란다.

베트남은 인구 1억 명으로 평균 연령이 젊기 때문에 포스트 차이나로 손색 없는 세계에서 가장 유망한 시장이라는 판에 박힌 글로벌 리포트들은 안타깝게도 제대로 알지 못하고 쓴 분석들이다. 베트남 시장에 대한 객관적이고 심층적인 자료 자체가 없어 다들 제한적인 데이터만으로 시장을 바라보아야 해서 제대로 살펴보기 어려울 수밖에 없다. 가끔 글로벌 리서치 회사를 통해 세계적인 컨설턴트들에게 베트남 시장에 대해서 전화 자문을 하는데 다들 분석에 도움을 받을 자료가 없어 힘들어한다. 하지만 눈에 보이는 숫자로 분석하는 방식이라면 1인당 국민소득 3만 달러의 한국은 존재할 수 없다.

한국인에게 낯선 듯 익숙한 베트남이기에 성공할 수밖에 없는 이유를 베트남의 사회, 문화, 역사적인 측면에서 다루었다. 이 책에서 제시하는 필자 나름의 분석은 객관적인 숫자가 뒷받침되지는 못한다. 베트남이라는 나라 자체가 수치화된 자료가 너무도 부족하기 때문이다. 다만 자신 있게 말할 수 있는 것은 "중국 시장에 대한 데이터는 실제보다 부풀려져 있는 경우가 많다. 하지만 베트남 시장에 대한 데이터는 실제보다 많이 축소되어 있다."라는 것이다. 그렇기 때문에 베트남 시장을 분석하려면 정량화되지 않은 데이터를 잘 분석하고 이해하는 것이 필요하다.

베트남 시장 상황이 이렇다 보니 서양인들은 투자를 유보하고 있다. 이에 반해 눈에 보이는 숫자는 없어도 대략 짐작과 주관적인 '감'으로 일하는 것이 익숙한 한국인, 중국인, 대만인들은 베트남 시장의 잠재력을 알아채고 꾸준히 투자하고 있다. 1980년대 베트남에 집중 투자했다가 철수했던 일본도 2011년 동일본 대지진과 자신들의 전진 기지인 태국 대홍수로 인해 다시 되돌아오고 있다.

베트남은 지리적으로는 동남아 국가이지만 정서적으로는 유교 문화권이자 한자 문화권인 동북아 국가이다. 그런데 베트남 시장은 매혹적이게도 깐깐하고 절차를 중시하는 동북아의 유교 문화를 기반으로 하면서도 동남아 특유의 개방성과 유연함이 잘 버무려져 있다. 거기에 더해 180여 년간의 프랑스 식민 통치로 유럽 특유의 섬세하고 우아하면서도 격식에 얽매이지 않은 아방가르드적인 모습도 얹어져 있다. 그러다 보니 베트남은 동북아인에게도, 동남아인에게도, 유럽인에게도 낯선 듯 익숙한 곳이다. 필자는 지난 10년간 베트남에서 살면서 동북아인의 기본 정서를 바탕으로 동남아와 유럽의 성향을 뒤섞어 베트남 시장과 사람들을 이해하고자 노력했다.

동남아에서 절대적인 경제권을 장악한 화교들이 베트남에서는 힘을 못 쓰는 이유와 그렇기에 발전 가능성이 무궁무진한 이유에 관해 썼다. 특히 소비재 시장의 소비 결정권을 지닌 베트남 여성들의 전통적 위상부터 현재까지의 모습을 바탕으로 베트남 소비재와 화장품 시장을 설명하고자 한다. 베트남은 어제와 오늘이 다르다고 느낄 정도로 변화가 많은 활동적인 시장이다. 아무리 훌륭한 분석이라도 어제까지의 베트남에 대해서 잘 분석할 수는 있으나 내일의 베트남이 어떻게 변해 있을지 예측하기 어렵다. 또한 베트남 시장은 여러 사람들의 분석과 해석이 모두 제각각일 정도로 모자이크처럼 다채로운 시장이다. 이에 대해서는 베트남 연령대별 분석을 통해 그 이유를 설명했다.

마지막으로 베트남에 진출한 크고 작은 한국 기업이 2019년 기준 5,500여 개, 베트남에 거주하는 한국인이 20만 명. 한국에 거주하는 베트남인이 15만 명이다. 베트남은 한국의 4대 교역국가이지만 대한민국에 베트남어학과가 있는 대학은 단 4곳뿐이다. 뜨거운 시장만큼이나 한국에서 준비된 베트남 전문가가 더 많아지기를 바라며 글을 시작한다.

2019년 12월
유영국

차례

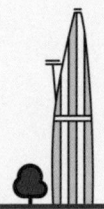

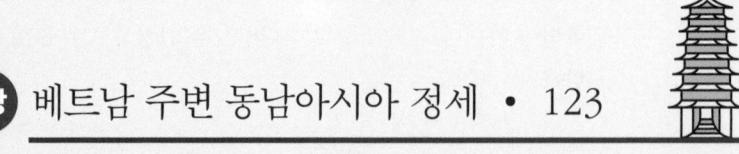

3장 베트남 주변 동남아시아 정세 • 123

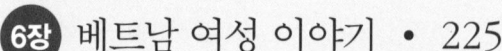

7장 베트남 부동산 투자 · 243

1장

생각했던 것과는
다른 베트남

인트로

"생각했던 것과 달리······."

베트남을 처음 방문하는 한국인 상당수가 베트남에 대한 첫인상을 그렇게 표현한다. 대체적으로 "생각했던 것과 달리 사람들 피부가 하얀 편이다." "생각했던 것과 달리 밀림도 없고 판자촌 같은 슬럼가도 없다." "생각했던 것과 달리 사람들이 친절하고 음식이 낯설지 않다."와 같은 반응을 보인다.

한국인들 머릿속에 있는 베트남의 이미지는 대체적으로 '태국'이나 '필리핀'처럼 많이 방문해보고 TV에서 본 익숙하고 전형적인 동남아 국가의 모습이 뒤엉켜 있기 때문이다. 이 때문에 '동남아 국가가 다들 거기에서 거기 아닌가? 서로 비슷하게 생겨서 말도 통하는 것 아닌가?'라고 오해하기 쉽다. 이 책에서 지속적으로 언급하겠지만 '아세안' 혹은 '동남아'로 통칭되는 지역 국가들의 모습은 서로 판이하게 다르고 언어, 문화, 종교 등등이 확연히 다르다. 서양인의 눈에는 한국, 중국, 일본이 큰 틀에서는 유교 문화권이고 한자 문화

베트남 사람들은 우리 생각보다 훨씬 피부가 하얗고 정글 속이 아닌 발전된 도시에서 산다.

권이라 비슷해 보이지만 우리들에게는 분명 확연히 다른 국가이듯 아세안 각국의 문화와 시장 환경은 다르다는 것을 유념해야 한다.

이 책에서는 이 부분에 대해서 지겹도록 이야기하고 강조하고 또 강조할 것이다. 이 책의 독자들에게 베트남 시장을 올바르게 이해하게 하고 '동남아'라는 단어가 규정해버리는 왜곡된 베트남 시장의 모습을 바로잡기 위함이다. 왜 베트남 시장인지에 대한 본격적인 이야기에 앞서 가볍게 베트남이라는 나라에 대해 전반적인 사항을 살펴보고자 한다.

1

베트남 역사 및 국제 관계

베트남 시장을 잘 파악하기 위해 베트남 역대 왕조까지 줄줄이 외우면 좋기야 하겠지만 그건 독자들에게 가혹한 일이다. 필자의 생각에는 독자들이 베트남의 역사 중에서 반드시 알아야 하는 것은 다음 세 가지이다. 첫째, 중국과 오랜 앙숙 관계이다. 둘째, 라오스 + 캄보디아를 아우르는 인도차이나 반도의 패권 국가이다. 셋째, 최근 미·중 갈등에 따른 미국과 베트남의 동맹이다. 이 세 가지가 지금까지 그리고 앞으로 베트남의 경제 발전과 시장 현황을 파악하는 데 매우 중요하기 때문이다.

중국과 오랜 앙숙 관계이다

베트남도 우리나라처럼 5,000년 역사를 자랑하는데 최초의 국가는 기원전 2,900여 년 전 반 랑Van Lang이다. 우리나라로 따지면

(왼쪽) 베트남 최초의 국가 반랑 왕국의 왕 훙 브엉 (오른쪽) 쯩자매는 중국 후한에 맞서 투쟁해 서기 40년에 독립 국가를 세웠다.

단군조선과 같은 베트남 민족의 시작을 알리는 전설적인 나라이다. 그런데 기원전BC 111년 중국 한나라에 복속되어 서기AD 938년까지 1,000년의 긴 시간을 중국과 싸운 역사를 가지고 있다. 대중국 항거의 역사 속에 걸출한 베트남 여성 영웅들도 탄생했다. 대표적인 영웅 호걸이 쯩Trung자매이다. 쯩자매는 중국 후한에 맞서 싸워 서기 40년에 독립 국가를 세웠다.* 베트남 여성 영웅들에 대한 이야기는 앞으로 여러 번 언급할 것이다.

베트남은 몽고 원나라의 세 차례에 걸친 침략도 굳건히 막아내며 더 이상 중국에 시달리지 않게 되는 듯했으나 1406년 명나라에 복속되었다가 22년 만인 1428년 다시 독립했다. 역사의 대부분이 중국과의 끊임없는 대결이었다고 봐도 무방하다. 현대에 이르러서

---

* 안타깝게도 쯩자매가 되찾은 베트남의 자유와 독립은 오래가지 못했다. 서기 43년에 한나라 광무제가 보낸 토벌군에게 패배했다.

베트남과 중국의 가까울 수 없는 관계를 나타내는 베트남 금성홍기와 중국의 오성홍기 이미지. 일반적인 예상과 달리 베트남 국기인 금성홍기가 먼저 제작되었다.

는 1979년 30만 명의 정예 중공군과 전쟁을 해서 18일 만에 실질적으로 승리로 이끌었다. 현재는 베트남 동해(남중국해)에서 호앙사 군도Hoang sa와 쯔엉사 군도Truong Sa를 두고 영토 분쟁을 벌이고 있다. 우리로 따지면 베트남의 독도와 같은 곳이다. 중국이 이곳에 석유 탐사선을 설치하고 인공 섬까지 만들며 자극하고 있다. 중국과 베트남은 3,000년이 넘게 갈등을 벌이고 있으며 앞으로도 두 나라의 갈등은 계속될 수밖에 없다. 중국과 미국의 대립 속에서 베트남의 지정학적 위치도 그렇고 수천 년 동안 중국이 굴복시키지 못한 베트남의 민족성 때문에도 그렇다.

인도차이나 반도의 패권 국가이다

중국이 미국에 맞서 세계 패권 국가로서 큰 포부를 담은 일대일로 정책을 가로막을 나라로 베트남이 급부상하고 있다. 우리는 잘 모르고 있지만 베트남은 라오스와 캄보디아를 아우르는 인도차이나 반도의 절대 패권국가이다. 1976년 2월 캄보디아로 침공해 친중국 정부이자 킬링필드 학살의 주범인 폴 포트 정권를 무너뜨리고 친베트남 정권을 세웠다. 35년 동안 캄보디아의 최고 권력자로 우뚝 선 훈센 총리는 베트남이 적극 후원해서 지금까지 권력을 잡고 있다. 라오스의 공산당은 베트남을 도와 미국과 싸웠다. 베트남은 라오스인민혁명당 설립을 적극 도우며 자신의 영향하에 두었다.

그런데 중국이 베트남의 군사적, 정치적, 경제적 영향력이 지배적인 라오스와 캄보디아에 일대일로 정책을 펼치면서 크게 자극하고 있다. 중국에서 시작해 미얀마, 태국, 라오스, 캄보디아, 베트남까지 이어 내려오는 메콩강에 댐을 건설해주겠다며 라오스와 캄보디아를 베트남으로부터 떼어내기 시작한 것이다. 그러다 보니 베트남과 중국이 동해(남중국해)에서 영토 분쟁을 벌이면 아세안 회의에서 언제나 베트남 편을 들어주던 라오스와 캄보디아가 최근에는 노골적으로 중국 편을 들고 있다.

이 책의 독자들은 베트남에 지대한 관심이 있으신 분들일 테니 앞으로 우리나라 언론에서도 중국과 메콩강 유역 국가들 간의 '메콩강 갈등' 또는 '메콩강 협력' 등과 같은 극단적으로 다른 내용의 기사들이 자주 나오는 것을 보게 될 것이다. 필자는 제3차 세계대전이 메콩강을 둘러싸고 벌어질 수도 있다는 극단적인 견해를 가질

베트남은 라오스와 캄보디아에 지대한 영향력을 끼치는
인도차이나 반도의 패권 국가이다.

정도로 메콩강을 둘러싼 아세안 정세가 매우 치열하다. 일본은 중
국이 적극적으로 메콩강 유역 국가들과의 협력을 강화하자 이를 저
지하기 위해 아시아개발은행을 통해 금융 지원을 시작했다. 우리나
라에서도 처음으로 2019년 11월 '메콩-정상회의'를 개최했다. 중
국의 일대일로와 미국의 아세안에서의 영향력 확대 여부, 아세안
공동체의 운명 등이 결정되는 중대한 사항이다. 이 책에서는 메콩
강을 둘러싼 분쟁에 대해 별도로 소개했다.

미국을 등에 업고 중국 대항마로 나섰다

베트남과 중국이 인도차이나 반도를 둘러싸고 팽팽한 긴장 관계에 있다. 이 틈바구니에 미국이 절호의 기회를 놓치지 않고 들어오고 있다. 미국은 국가 수립 이후 유일하게 베트남에게 패배를 당했다. 미국에게 베트남은 껄끄러울 수밖에 없는 상대이다. 하지만 중국의 패권을 가로막는 것이 중요한 상황에 전략적 파트너로 베트남과 손을 잡았다. 베트남은 미국에게만 패배를 안겨준 것이 아니다. 중국 역시 중화인민공화국 수립 이후 최초로 베트남에게 패배를 당했다. 이때의 충격으로 중국 공산당 정부는 군사 장비 현대화에 박차를 가했다.

베트남 정부는 중국의 영향력이 인도차이나 반도로 급속도록 확장되자 2018년 3월 베트남 전쟁 시절 치열한 격전지였던 다낭 해군 기지에 미국 항공모함 입항을 허락했다. 다낭은 베트남과 중국이 영토 분쟁을 겪고 있는 호앙사 군도가 바로 보이는 곳이다. 미국이 베트남과 중국의 영토 분쟁 시 개입할 수도 있다는 신호로도 해석될 수 있었다. 베트남은 중국과 되도록 마찰을 빚지 않으려고 노력하지만 넘지 말아야 할 선을 넘으면 단호하게 대응한다는 원칙을 갖고 있다. 그래서 중국도 함부로 대하지 못하는 것이다.

이 와중에 미국과 중국이 무역 전쟁을 벌이면서 미국의 관세 폭탄을 피하기 위해 중국의 제조 시설을 베트남으로 옮기는 글로벌 기업들이 늘고 있다. 글로벌 기업뿐만 아니라 중국 국적의 기업마저도 베트남으로 생산 기지를 옮기고 있다. 베트남으로서는 개발도상국에서 중진국으로 진입하기 위한 절호의 기회를 잡은 것이다.

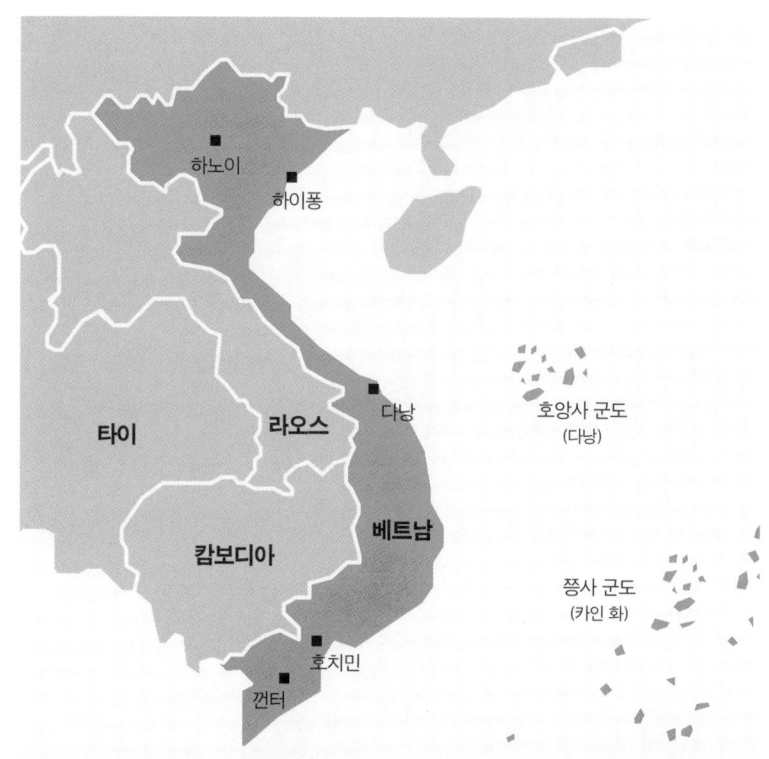

우리 나라의 독도와 같은 베트남의 호앙사 군도 섬들과 쯩사 군도 섬들. 호앙사 군
도는 다른 말로 파라셀 군도라고도 부른다. 중국이 베트남 전쟁 중인 1974년에 들
어가 점령했다. 약 30여 개의 산호초 섬으로 이루어져 있다. 호앙사 군도 아래 쯩사
군도는 스프래틀리 군도라고도 부른다. 약 750여 개의 섬으로 이루어진 대규모 군
도이다. 1988년에 베트남 물자 수송선을 격침시키고 점령했다. 섬 자체의 경제적
가치보다는 그 주변에 매장된 광대한 지하자원의 가치가 엄청난 것으로 알려졌다.

미국은 중국 대항마 베트남을 호랑이 새끼를 키우는 심정으로 군사
력과 경제 발전을 적극 도모하고 있다.

　베트남 투자를 고려하는 분들에게는 지금이 베트남에 투자할 절
호의 기회이다. 베트남 자력으로는 빠른 발전이 쉽지 않다. 현명한
베트남 정부가 국제 정세를 잘 활용해서 국가 발전의 초석으로 삼

고 있기 때문이다. 베트남은 뼛속까지 반중 의식이 강하지만 역사적으로 큰 나라와 공존하며 살아가는 방식을 잘 알고 있기 때문에 적절한 거리를 유지하는 등거리 외교를 하고 있다. 미국을 끌어들이면서 중국과 척을 지지 않고 적절한 관계를 형성하는 외줄타기 명수의 면목를 잘 보이고 있다.

필자는 이 책에서 여러 번 유연한 베트남 정부에 대한 칭찬을 하고 있다. 여타 개발도상국이나 인근 동남아 국가들의 정부 행태와 비교했을 때 어느 한쪽에 치우치지 않으면서 세계 정세를 잘 파악하고 있기 때문이다. 베트남이 앞으로 발전할 수밖에 없는 여러 이유 중에 국제 정세라는 파도와 이에 휩쓸리지 않고 적절한 크기의 파도에 올라타 서핑을 즐기고 있는 베트남 정부의 혜안이 있다.

2

베트남 문화

해외 시장에 진출하고 투자하는 입장에서는 낯설고 멀리 떨어진 곳보다는 정서적으로나 문화적으로 익숙한 곳이 안정적으로 느껴질 수밖에 없다. 베트남은 한국과 매우 비슷한 정서를 가지고 있는 나라로 2019년 기준 베트남에 한국이 교민이 약 20만 명이 살고 있다(대략 호치민에 13만 명, 하노이에 7만 명).

최근 국내 언론들이 '박항서 베트남 축구 국가대표 감독 덕분에 베트남에서 한국에 대한 인식이 달라지고 한국인을 좋아한다.'라는 보도를 하는데 과장된 기사들이다. 박항서 감독이 베트남에서 영웅으로 추대받고 국민적 인기를 누리고 있는 것은 사실이다. 하지만 박항서 감독 때문에 한국인에 대한 인식이 크게 달라진 것은 없다. 베트남 사람은 본래 한국인을 좋아하기 때문이다. 베트남 사람들은 박항서 감독의 활약으로 '역시 한국인'이라는 인식이 형성되고는 있지만 갑자기 한국인을 더 좋아하게 된 것은 아니다.

베트남은 중국과 더불어 1997년에 한류가 시작된 한류의 원조 국가로 본래 한국 문화와 한국인을 좋아하는 국가이다. 필자도 2011년부터 베트남에서 10년이나 있으면서 도대체 왜 베트남 사람들은 한국 문화와 한국인을 좋아하는지를 탐구하고 물어보았지만 마땅한 답을 찾지 못했다. 한결같은 대답은 "베트남과 한국이 비슷하기 때문"이란다. 그렇다면 한국과 베트남이 왜 비슷한 문화를 갖고 있는지에 대한 해답을 찾아야 한다. 그런데 여태 그것을 제대로 설명한 자료를 찾지 못하고 있다.

한국 못지않게 교육열이 높다

베트남은 한국, 중국, 대만, 일본과 더불어 유교 문화권이자 한자 문화권이자 젓가락 문화권이다. 하지만 한국과 인접한 일본인이나 중국인보다도 직선상으로 2,700킬로미터나 떨어져 있는 베트남 사람들이 정서상 더 비슷한 것을 논리적으로 설명하기 어렵다. 다만 베트남 미래에 대해 긍정적인 전망을 하는 것은 한국, 중국, 대만, 일본처럼 교육열이 높다 보니 국민들이 뭐든 빨리 배우고 새로운 것을 습득하는 것을 좋아하는 국가이기 때문이다. 필자는 '왜 베트남 시장인가'라는 제목에 여러 가지 분석을 내놓았다. 그 대답 중 하나가 바로 베트남의 '교육열'이다. 머지않아 베트남이 한국, 대만, 중국의 모습이 될 것이라고 확신한다. 바로 사회 전반에 깔려 있는 높은 배움에 대한 욕구 때문이다.

최근 한국 관광객들이 베트남으로 몰려들면서 아세안 관광 대국 태국으로 가는 한국인 숫자가 많이 줄었다는 보고가 있다. '베트남

베트남 하노이 문묘(국자감)에서 졸업 기념 사진을 찍는 대학생들

전쟁' '베트남 신부' '베트남 노동자'와 같은 부정적인 인식만 갖고 있던 한국인들이 막상 접하는 베트남은 낯설면서도 어디인지 모르게 친숙하고 반가운 나라이다. 베트남 음식은 다른 동남아 국가인 태국이나 말레이시아의 음식과 다르게 한국인 입맛에도 맞고 익숙한 맛이다. 마치 최근 한국인의 의식 속에 오랫동안 헤어졌다가 만난 이산 가족마냥 베트남이라는 나라가 급격히 친숙해지고 있다.

한국 문화 콘텐츠 산업이 성공할 수 있을까?

이렇게 문화와 음식이 한국인에게 익숙하다면 반대로 한국의 문화와 음식이 베트남에 익숙하지 않을까? 이를 산업적인 측면에서 살펴보면 한국 음식과 영화 콘텐츠 산업은 베트남 시장에서 성공할 수 있을까? 한국에서 인기 드라마가 방영되고 나면 대여섯 시간 후에 베트남어 자막이 달린 영상이 베트남 네티즌 사이에서 돌아다닌다. 그만큼 한국 문화에 대한 선호도가 높기도 하고 베트남에서 한국어를 전공하고 구사하는 인재들이 많다는 방증이기도 하다. 당장 해적판 영상이 유통되니 베트남에서 문화 콘텐츠 산업이 발전하기 힘들겠다고 생각할 수 있다. 하지만 베트남 소비자들에게 이미 한국 콘텐츠가 소비되고 있다는 긍정적인 측면에서 바라볼 필요가 있다. 한국도 불법 콘텐츠의 왕국이었지만 미국 할리우드의 가장 중요한 소비 시장이 되었음을 생각해봐야 한다.

반면 많은 한국 기업들이 베트남은 대표적인 한류 국가라 한국 콘텐츠면 무조건 성공할 수 있다고 생각하고 무턱대고 투자했다가 실패를 맛보기도 한다. 베트남에서 한국 영화, 드라마, K-팝이 인기라고 해서 사업을 벌였다가 실패하신 분들은 무엇이 문제인지 몰라 당황해한다. 베트남 사람들이 한국 콘텐츠를 좋아하는 것은 맞지만 좋아하는 한국 콘텐츠의 장르와 스토리는 따로 있다. 어떻게 보면 당연한 것인데 해외 사업을 진행하다 보면 당연하고 기본적인 것을 인식하지 못하는 경우가 많다. 실제로 CJ 엔터테인먼트가 베트남 합작사와 제작해서 베트남 국내 제작 영화 중 최고 인기를 누린 영화들은 모두 한국 영화를 베트남식으로 리메이크한 것들이다.

그렇다면 베트남은 한국의 문화를 소비만 하는 곳일까? 지금 당장은 한국을 비롯한 중국, 홍콩 콘텐츠를 받아 소비하고만 있지만 CJ 엔터테인먼트와 같은 한국 기업들이 베트남에서 콘텐츠를 생산하며 시장을 이끌고 있어 자생적인 콘텐츠들이 동남아 시장에 확산될 수 있을 것으로 기대된다. 지금 당장에는 동남아 정서에 맞는 한

한국영화「수상한 그녀」포스터와 이를 베트남에서 리메이크해서 최고 흥
행 기록을 세운 베트남판 수상한 그녀「내가 니 할미다」포스터.

국의 스토리와 한국의 우수한 영상 기술을 바탕으로 베트남 시장을
공략했지만 서서히 한국 자본과 영상 기술 위에 베트남만의 콘텐
츠들이 제작되고 있다. 롯데가 투자해서 베트남에서 크게 흥행하고
미국에서 상영된 영화까지 나왔다. 머지않은 시기에 베트남 콘텐츠
가 동남아시아 지역 콘텐츠 시장을 장악할 수 있어 보인다.

　또한 한국과 비슷한 길을 가고 있는 베트남이기에 고스란히 한국
의 과거 모습을 돌이켜 비교해보면 앞으로의 발전 방향을 예측할
수 있을 것 같다. 불과 몇 년 전까지만 해도 한국인에 대한 서구권
의 인식은 아예 '모르는 나라'이거나 '한국 전쟁' '불법 이민자' '비
자를 위한 결혼' 등으로 부정적인 인식이 매우 강했다. 하지만 어느
덧 K-팝과 K-무비가 전세계를 휩쓸고 있다. 여러 문화적인 측면뿐
만 아니라 산업의 발전 형태가 한국과 비슷하게 발전해가고 있다.

따라서 지금 한국의 모습을 바라보면 베트남의 미래는 어떻고 어떤 방향으로 투자를 해야 할지 가늠할 수 있다.

3

베트남 경제

서브 프라임 모기지 사태 때 더욱 굳건해졌다

베트남은 2007년 미국 서브 프라임 모기지 사태로 촉발된 2008년 글로벌 경제 위기가 불어닥치기 전만 해도 전 세계에서 가장 유망한 시장으로 각광받고 있었다. 각종 컨설팅 그룹과 금융경제 연구소에서 포스트 차이나로 MAVINS(멕시코, 오스트레일리아, 베트남, 인도네시아, 나이지리아, 남아프리카공화국), 넥스트 11(차세대 성장국가 11개국. 방글라데시·이집트·인도네시아·이란·한국·멕시코·나이지리아·파키스탄·필리핀·터키·베트남), VISTA(베트남, 인도네시아, 남아프리카공화국, 터키, 아르헨티나), TVT(터키, 베트남, 태국) 등으로 부르며 브릭스BRICs 국가를 이을 차세대 성장 국가로 다양한 신흥 투자 대상 국가를 뽑을 때 빠뜨리지 않았다.

그러던 베트남이 2008년 글로벌 경제 위기를 맞이하자 국영 기업이 도산하고 외국인 투자자들이 발을 빼기 시작했다. 베트남 경제

베트남 경제 성장률 (단위: %)

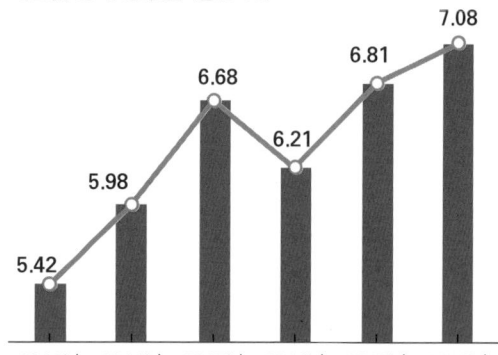

베트남은 2008년 이래 급격한 경제 하락세였다가
2013년을 기점으로 다시 상승세로 돌아섰다.
(자료: 베트남 통계청)

도 얼어붙는 듯했고 경제 성장률은 크게 하락했다. 미국 달러 대비
베트남 동(VND)은 해마다 10~15% 평가 절하되었고 물가는 10%
이상 폭등했다. 한국에서 인기리에 판매되던 베트남 관련 펀드는 크
게 마이너스 수익을 기록했다. 하지만 당시 베트남 내부적으로는 일
부 공기업 몇 곳이 부실로 문을 닫았을 뿐 일반 국민들이 피부로 느
낄 만한 어려움은 없었다. 베트남에는 이런 글로벌 경제 위기에 휩
쓸려갈 중산층이라고 할 만한 사람들이 별로 없었기 때문이다.

세계 어느 나라에서나 서브 프라임 모기지 같은 글로벌 경제 위
기가 발생했을 때 가장 큰 타격을 받는 주체는 은행 대출을 통해 부
동산을 구매한 중산층들이다. 상류층들은 본인의 자산 일부가 줄어
들 수는 있지만 집을 사기 위해 자신의 소득 이상의 금액을 무리하
게 대출받지도 않기 때문이다. 어느 나라에서나 경제 위기로 기업
이 파산해 직장까지 잃고 집값은 폭락해 결국 파산하는 대상은 대

부분 중산층이다. 중산층을 선정하는 기준인 소득 수준은 나라마다 다를 수밖에 없다. 글로벌 경제 기관들은 베트남 중산층을 '월 소득 800달러에서 1,000달러'로 본다. 선진국과 달리 베트남은 상류층과 하층민이 두터웠기 때문에 상류층은 경제 위기에 약간의 타격만 입었고 하층민은 딱히 잃을 것이 없었다. 다만 베트남을 수출 기지로 삼으면서 제조업 공장을 운영하던 일부 외국인 기업들이 일시적인 어려움을 겪으면서 외국인 투자가 줄어서 국가 경제 성장률이 줄었던 것이다.

필자는 이때 글로벌 경제 위기가 섣부른 성장 거품을 걷어내면서 오히려 베트남을 더욱 굳건한 국가로 만들었다고 생각한다. 베트남 자생적인 자본이 아닌 외국 투기 자본에 의해 급성장하고 있었던 터라 지속되었다면 여느 동남아 국가들처럼 빈부 격차만 더욱 커졌고 외국 자본의 차익 실현 이후 경제 공황이 왔을지도 모를 일이었다. 하지만 베트남이 급격히 성장하다가 2008년 글로벌 경제 위기로 적절한 시기에 브레이크를 걸어준 셈이다. 서브 프라임 모기지 사태에 대한 후폭풍은 빠르게 정리되었다. 미국 경제가 다시 되살아나면서 주로 미국으로 수출하는 공장들이 몰려 있는 베트남 경제는 2013년을 기점으로 빠르게 회복할 수 있었다.

베트남 경제는 앞으로 좋아질 일밖에 없다

경제학에 문외한이 필자가 감히 베트남 경제의 미래를 논할 처지는 아니다. 하지만 이 책을 통해 베트남 경제에 대한 예측을 위해

베트남은 미국과 중국의 무역 분쟁으로 최고의 반사 이익을 누리고 있다.

어려운 숫자와 그래프를 나열하며 이해할 수 없는 말로 설명하고
싶지는 않다. 다만 지난 10년간 베트남 현지에서 일을 해온 사람의
경험으로 봤을 때 베트남 경제는 좋아질 수밖에 없다고 확신한다.
변화하는 사회 안에서는 그 변화하는 모습을 깨닫기가 어려운데 과
장되지 않은 표현으로 베트남은 한 달 후의 모습이 너무도 다를 정
도로 빠르게 변화하고 있다. 단순하게 사회 기반 시설의 확충이나
새로이 올라선 고층 건물들의 모습뿐만 아니라 소비자들의 성향 자

체가 몇십 년을 건너뛰어 넘으며 빠르게 변화하고 있다. 이에 대한 자세한 설명은 이 책 곳곳에서 국제 정세, 성실한 국민성, 주변 여건 등등의 수많은 이유를 들어 설명하겠다.

다만 분명하게 말할 수 있는 것은 중국에서 치솟는 인건비와 미국과의 갈등으로 제조 시설을 베트남으로 옮기는 글로벌 기업과 중국 로컬 기업들이 급격하게 증가할 것이라는 것이다. 베트남에 투자하는 외국 기업들의 톱 5는 한국, 일본, 싱가포르, 중국, 대만과 같은 아시아국가들인데 이제는 태국, 인도네시아 대기업들의 투자가 늘어나고 있다. 또한 베트남 시장이 투명해지고 안정화되기 시작하면 유럽이나 미국과 같은 서구 글로벌 기업들의 투자가 확대될 것이다. 베트남 인건비가 오르기 시작해서 인근 캄보디아나 미얀마로 이전하는 기업들이 늘어나면 베트남 경제도 어려워질 것으로 전망하는 사람들이 많다. 그러나 이미 7~8년 전부터 베트남 인건비에 부담을 느낀 생산, 제조 업체들이 캄보디아나 미얀마로 이전했다가 얼마 되지 않아 돌아왔다. 생산성이 베트남과 비교가 안 되기 때문이다. 또한 생산 자동화 시설의 확충으로 제조 라인에서 인력 활용 비중이 점점 줄어들고 있어 단순 인건비 상승이 중요한 것이 아니라 사회 인프라 확충 여부와 정치 사회적 안정성 여부가 더욱 중요해지고 있다. 베트남은 그 어느 개발도상국보다도 매우 안정적인 사회체제를 유지하고 있다.

또한 베트남 경제를 긍정적으로 볼 수 있는 측면은 지금 당장은 실력이 부족하지만 자체 로컬 기업들의 자생력이다. 특히 이 책의 독자들은 앞으로 베트남의 IT 발전 여부를 눈여겨보길 바란다. 지금 당장은 베트남의 IT 수준이 한국, 일본, 중국과는 비교할 수 없는 수준이나 국가 사회 전체가 IT 환경 조성을 위해 노력하고 있다. 또한 국민 자체가 빠르게 IT 기술에 익숙해져가고 있어 수요에 따른 IT 환경 조성이 빨라지고 있다. 동남아 그 어느 국가보다도 IT 환경이 잘 갖추어져 있는 동남아 IT 선진국이며 베트남 군대가 운영하는 통신사인 비엣텔Viettel은 인도차이나 반도, 아프리카, 남미의 10개국에 진출해 통신 시장 1위를 점유하고 있다. 2019년 기준 베트남에는 인도를 대신한 우수한 IT 인력들이 대거 시장으로 쏟아져 나오고 있다. 그럼에도 공급이 수요를 따라가질 못해 베트남 IT 개발자들의 몸값이 치솟고 있다. 이런 환경이 조성되는 배경에는 의외로 공산당이 장악한 베트남 정부의 유연하면서 개방적인 자세와 국민들의 스스로 새로운 것을 빨리 받아들이는 적극적인 자세 덕분이다. 베트남 전쟁이 끝나고 수십만 명이 호주, 미국, 프랑스로 도망쳐 나갔다. 지금 베트남 IT 기술 발전에 큰 역할을 하고 있는 인력들은 이때 미국으로 도망쳐 갔던 보트 피플의 1.5세, 2세들이다. 베트남 정부는 이들에 대해 배척하지 않고 포용적인 자세로 받아들여 국가 발전에 적극 활용하고 있다.

보다 증명할 수 있는 수치화된 데이터를 독자들에게 보여드릴 수 있으면 좋겠으나 베트남은 수치화된 자료로 설명할 수 없는 시장이다. 그나마 구할 수 있는 수치화된 자료들은 2~3년 전의 자료들로 몇 년이 흐른 사이에 어마어마하게 변해 있는 지금 베트남 시장을 설명하기에는 역부족인 것들이다. 글로벌 리포트들도 베트남 시장을 제대로 설명하지 못하고 있다. 그러다 보니 명확한 숫자가 없으면 믿지 않는 서양인들은 투자하지 못하고 있고 비슷한 감성의 한국, 대만 기업들은 투자하고 있다.

글로벌 경제 위기조차도 호재가 될 것이다

2020년 글로벌 경제가 위태롭다는 이야기가 여기저기에서 들려온다. 유럽의 경제 모범생이자 유일한 성장 국가였던 독일도 마이너스 성장으로 돌아서고 독일 최대 은행인 도이체방크의 지속적인 대규모 감원에 파산설까지 나돈다. 몇 년째 한다 안 한다 말만 많던 영국의 브렉시트가 현실화되어가고 그 여파로 스코틀랜드의 분리 독립으로까지 언급되면서 사태가 어디로 어떻게 튈지 모르는 상황이다. 이 와중에 홍콩의 민주화 시위는 6개월이 넘게 장기화되면서 아시아 금융 허브 홍콩이 중국군에 의해 강제 무력 진압될 경우 그 경제적 파장은 예측하기도 힘든 상황이다. 게다가 2020년 미국 대선에서 트럼프 대통령의 재선 여부가 불확실해지면서 미중무역 전쟁의 끝이 언제인지 알 수 없어 세계 경제를 불안하게 한다. 2020년 전세계적으로 예측 불허의 상황만이 난무하고 있다.

2019년 11월 기준 베트남에서도 2020년 글로벌 경제 불안감에 빠르게 반응하는 듯하다. 하늘 높은 줄 모르고 치솟고 있는 베트남 부동산 시장의 성장에도 최근 베트남 부유층들의 부동산 급매물들이 쏟아져 나오고 있다. 베트남 정부는 2019년 4월부터 공식적으로 부정부패 척결을 지속적으로 외치고 있으며 2020년에는 조사 중인 부정부패 사건의 조사와 결과를 빨리 처리하겠다고 공언하고 있다. 2020년에 다시 한 번 글로벌 경제 위기가 온다면 베트남 부실 내수 기업, 특히 부동산 개발 업체 일부가 도산할 수도 있겠다.

하지만 오히려 2020년이 베트남 거품을 걷어낼 수 있는 절호의 기회이다. 2013년 바닥을 찍고 줄곧 성장만 하고 있는 베트남이라 부동산 가격에 비현실적인 거품이 끼어 있는데 적절한 타이밍에 자연스럽게 정리해줄 것으로 보인다.

2008년 서브 프라임 모기지 사태 때는 베트남이라는 큰 욕조에 담겨 있는 목욕물 위의 거품을 걷어내는 시기였다면 2020~2021년에는 생맥주 피처 잔 위에 있는 거품을 걷어내는 시기가 될 것이다. 베트남에 투자할 절호의 시기가 왔다.

2장

왜 베트남은
기회의 땅인가

인트로

지난 10년간의 변화는 상상을 초월한다

내가 베트남에 처음 왔던 2011년에는 대형마트에서 비닐봉지를 3겹으로 포장해주어도 봉지가 내용물의 무게를 못 이겨 찢어졌고 사람들은 줄을 서지 않아 기차 매표소에서 1시간을 기다려도 내 차례가 오지 않았으며 제1경제 도시 호치민 대낮 시내 길거리에서 소변을 보는 남자들이 늘 있었다. 사람들은 점심 먹고 낮잠을 자야 해서 사무실 책상 밑에 누워 있고 은행도 점심에 문을 닫았으며 해마다 물가 상승률은 10% 내외로 폭등했고 연말이면 베트남 동은 평균 13% 가치 평가 절하되었다. 음력 설에는 이불 보따리를 오토바이에 한가득 싣고 3박 4일 귀경길을 떠나는 사람들로 도로는 북새통을 이루었다. 설에 고향에 갔다가 직장으로 돌아오지 않는 종업원들 때문에 공장과 식당들이 제대로 운영되지 않았다.

그로부터 3년 뒤인 2014년에는 비닐봉지 한 장에 아무리 무거

베트남의 지난 10년 동안의 변화는 상상을 초월한다.

운 걸 담아도 찢어지지 않게 되었고 베트남 사람 누구나 당연히 줄
을 섰으며 새치기하는 사람은 주변의 심한 타박을 받고 줄에서 쫓
겨났다. 음력 설에는 비행기를 타고 고향 가는 사람들로 공항은 복

베트남 국적 저가항공 비엣젯은 베트남 항공 이용 대중화에 큰 기여를 했다.

잡해졌으며 비행기를 타고 해외 여행을 다니는 사람들이 많아졌고 외국인들로 가득했던 단골 고급 레스토랑에는 베트남 사람들로 북적대기 시작했다.

점심 먹고 낮잠을 자는 사람들은 없어졌고 점심때에도 은행 업무를 볼 수 있게 되었으며 자국 모바일 메신저가 시장 점유율 1등을 하는 세계에서 몇 안 되는 나라 중의 하나가 되었다. 국내 물가 상승률은 4% 내외로 안정화되었고 지속적인 수출 증가세로 외환 보유고가 늘어나 달러 대비 환율은 한 자릿수로 하향되었으며 금융거래를 불신하던 사람들은 은행을 이용해 계좌를 만들고 신용카드를 사용하기 시작했다

전세계에서 스마트폰 사용에 가장 적극적이다

필자가 베트남에 처음 왔던 2011년에도 호치민 길거리 허름한 카페며 식당에서조차 와이파이는 무료였고 필자도 쓰지 않았던 스마트폰을 쓰는 사람들이 대부분이었다. 전 세계에서 페이스북 가입자 증가율이 가장 높았고 시골 국도변에서도 사람들은 생수 한 병이나 과일 한 꾸러미라도 무엇인가를 팔고 있었으며 얼마 안 되는 급여일지라도 자녀의 미래를 위해 소득의 30% 이상을 교육비에 쏟아붓고 있었다. 아침 6시에 출근하는 부지런한 사람들로 도로는 꽉 찼으며 관공서는 아침 7시 30분부터 업무를 시작했고 공산주의 국가이지만 종교의 자유가 있으며 인종 간의 갈등이 없고 자신이 동성연애자임을 밝혀도 비난받지 않는 개방적인 나라였다.

베트남 사람들은 그 누구보다 스마트폰 사용에 적극적이다.

베트남 사람들의 축구에 대한 열정은 가히 광적이다. 단적으로 프랑스 AFP 특파원 로버트 템플러의 저서 『그늘과 바람』에 베트남 당 지도부가 북한의 김일석 주석의 사망 소식을 듣고 유럽 프로축구 중계를 취소했다가 엄청난 반발을 받았다는 내용이 담겨 있을 정도이다. 가히 축구 사랑이 어느 정도인지 가늠할 수 있을 것이다. 베트남 국가 대표팀은 2008년 스즈키컵 우승 이후 10년 만인 2018년에 박항서 감독 지휘 아래 다시 한 번 스즈키컵 우승을 거머쥐었다. 박항서 감독이 취임한 이래 아시아 23세 이하 대회에서 준우승을 차지했고 아시안게임 4강에 오르는 등 아세안 최강이 되었다.

2019년 베트남의 길거리 허름한 카페나 식당은 여전히 와이파이가 무료이고 국민 대다수가 스마트폰을 사용하고 있으며 전 세계에서 페이스북 이용자가 가장 많은 나라 중의 하나이고 밀크티 한 잔, 도시락 한 개도 모바일 주문 배달 서비스를 이용해서 사 먹으며 모바일로 금융 거래를 하는 것이 당연하고 아세안에서 이커머스 마켓이 가장 활성화되어 있는 곳이 되었다. 여전히 시골 도로 어디에서든 사람들이 무엇인가를 팔면서 온라인에서도 물건을 팔고 있으며 여전히 많은 돈을 자녀 교육비에 쏟아붓고 있고 사회주의 국가임에도 종교의 자유가 있으며 민족 간의 갈등이 없으며 게이의 결혼이 불법이 아닌 개방적인 나라이다. 그리고 베트남은 이제 동남아에서 축구를 가장 잘하는 나라이기도 하다.

1

교육열이 높고 학습 능력이 빠르다

베트남은 한국, 일본의 교육열 못지않은 뜨거운 교육열을 뿜어내는 나라이다. 2010년 교육과학사에서 발간한 『사교육: 현상과 대응』이라는 책에 따르면 베트남 중학생 76.7%가 사교육을 받는다고 한다. 이에 비해 한국 중학생의 77%, 일본 중학생의 75.7%가 사교육을 받는다. 단순히 동아시아의 못사는 나라라고 생각했던 베트남에 대한 고정관념을 깨는 높은 사교육 비율에 많이들 놀란다. 사실 베트남 여기저기 골목길을 돌아다니다 보면 낮에는 구멍가게였는데 밤에는 공부방으로 변한 모습을 쉽게 볼 수 있다.

2010년 사교육 비율이 그 정도니 2019년 베트남 대도시에서의 사교육 비율은 90%가 넘을 것으로 예상된다. 그뿐만 아니라 밤늦게까지 공부하는 아이들을 기다리는 학부모들의 모습을 학교나 학원 주변에서는 항상 볼 수 있다. 베트남에서도 명문고등학교와 명문대학교를 가려고 하는 입시 열기가 뜨겁다. 그래서 한국 못지않게 대도시 곳곳에 영어학원과 수학학원이 많다.

(위) 낮에는 가정집이었다가 저녁만 되면 공부방으로 변신하는 호치민 골목 풍경

하지만 아무리 인구가 많고 자원이 많아도 배우고자 하는 열망이 없는 국민이 대다수라면 그 나라는 발전하기 어렵다. 동남아시아의 적지 않은 국가들의 고등학교 수업 시간이 하루에 4~6시간이 안 되는 경우가 많다. 이는 단순하게 국가 예산 문제로 치부하기 어렵다. 베트남과 국내총생산GDP이 비슷하거나 큰 국가들인데도 학교 수업에 투자하지 않고 있기 때문이다. 이는 교육에 대한 국민들의 관심으로 볼 수밖에 없다.

1989년 필자의 초등학교 사회 시간이 생각난다. 동남아시아편을 배우는 부분에서 사회 선생님이 그랬다. "필리핀과 인도네시아는 석유, 가스와 같은 부존자원이 풍부하고 인구가 많아 잠재력이 큰 나라로서 곧 크게 발전할 것이다."라고. 하지만 30여 년이 지난 지금도 필리핀과 인도네시아는 여전히 성장 여력이 있고 잠재력만 큰 나라이다. 베트남에서 공장을 하거나 주재원으로 베트남 사람들과 함께 일하는 사람들 모두 공통적으로 하는 이야기가 있다.

"베트남 사람들에게 뭔가 새로운 것을 가르쳐주면 금방 배우고

베트남에도 야자가 있어 밤늦게 파하는 아이들을 기다리는 부모들

스스로 새로운 방식이나 개선된 방식을 만들어낸다."

특히 공장을 운영하는 분들 대부분은 중국이나 인도네시아에서 공장을 운영하다가 베트남으로 온 분들이다 보니 다른 국가 사람들의 일반적인 근무 태도와 습득 능력을 비교하는 것이 상대적으로 객관적이라 볼 수 있다.

필자 역시도 베트남 직원들을 보면 참으로 빨리 배우고 가이드라인만 잘 제시하면 훌륭하게 일을 해내는 것을 보고 감탄할 때가 한두 번이 아니다. 한국에서 당연한 일들이 베트남에서는 그렇지 못할 때 답답하기는 하다. 하지만 베트남 사람들이 경험해보지 못한 방식이라 습득이 안 되어서 그렇지 잘 알려주기만 하면 금방 따라

한다. 삼성전자가 세계 최대 규모의 스마트폰 생산 기지로 베트남을 선정한 것은 바로 이러한 빠른 학습능력과 세밀한 손 기술 때문이다.

한국, 중국, 일본의 공통점은 한자와 유교 문화권 지역으로서 사람들이 배움을 으뜸으로 여기고 사회적으로 인정받고 출세하여 세상에 이름을 알리는 입신양명立身揚名이 사회의 근간이라는 점이다. 세계 경제의 절대적인 축인 동북아 삼국의 번영은 바로 배움에 대한 열망 때문이었다. 그런데 우리가 입버릇처럼 말하는 '한중일 동북아 삼국'이라는 표현을 '한·베·중·일 동북아 사국'이라 바꾸어 불러야 한다. 베트남은 지리적으로는 동남아 국가이지만 문화적으로 한자 문화권이자 유교 문화권인 동북아 국가이기 때문이다. 베트남 불교 역시 소승 불교를 믿는 이웃나라 캄보디아, 태국, 라오스와 달리 한국, 중국과 같은 대승 불교이다. 이 때문에 사람들의 정서가 우리네와 너무도 비슷하다.

유럽, 호주, 북미로 떠나간 베트남 이민자들의 모습에서 미래 베트남의 모습을 예측해볼 수 있는데 한국인과 너무도 비슷하다. 이민 간 서구 국가에서 악착같이 살아가면서 자신들만의 커뮤니티를 형성하고 이민 사회에서 성공한 아시아계 민족은 한국인, 중국인, 그리고 베트남인이다. 미국이나 유럽에서 소수 민족 중 명문대 진학률이나 성공한 정치인을 배출한 경우를 따지면 대부분 한국, 중국, 베트남 이민자들이다. 이 3개국 민족의 공통점은 힘들게 살아가면서도 자녀 교육은 절대 포기하지 않는다는 것이다.

전쟁 피란 중에 천막을 치고 학교를 운영하던 한국 사람들의 모습과 미군의 폭격과 수색을 피해 지하 깊은 곳에 땅굴을 파고 살면

(위) 한국전쟁 기간 중 천막 학교. (아래) 베트남 구찌 땅굴 내부의 학교와 병원.

서도 아이들에게 가르침을 잊지 않았던 베트남 사람들의 모습이 오버랩되면 베트남이 앞으로 어떻게 발전할지 가늠할 수 있어 보인다.

교육열에 대한 호치민 주석의 유명한 일화도 있다. 베트남과 미국이 한창 전쟁 중이던 당시 호치민 주석은 구소련, 체코, 폴란드, 북한 등에 인재들을 유학 보내기 시작했다. 당시 선발된 유학생들은 조국에 남아서 싸우겠다며 유학 가기를 거부했다. 그러나 호치민 주석은 단호하게 말했다.

"총을 들고 싸우는 것만이 전쟁이 아니다. 너희는 전쟁이 끝난 이후 이 나라를 재건해야 할 사람들이다. 이제부터 너희들의 총은 책이다. 반드시 많은 것을 배우고 돌아와 이 나라에 도움을 주어야만 한다."

전쟁 중에도 조국의 미래를 준비하는 국가 지도자의 식견이 참으로 훌륭하다. 그 훌륭한 식견의 밑바탕은 새로운 것을 배우고 이를 적용시켜 발전해나가는 '교육'이었다. 이렇게 끊임없이 배우고 새로운 것을 받아들여 적용하고 개선해 나가는 것을 국가 구성원 모두가 당연하게 여기는 나라. 참, 한국과 비슷한 나라이다. 우수한 인적 자원으로 국가 발전을 이룩한 한국의 길을 가고 있는 나라가 바로 베트남이다. 베트남 민족의 높은 교육열이 바로 왜 베트남 시장인지에 대한 첫 번째 답변이다.

베트남 호치민시 시청 앞 호치민 주석 동상. 베트남 사람들은 호치민을 '박호Bac Ho'라고 부른다. '호 아저씨'라는 의미이다. 그는 불굴의 의지를 지닌 투사이면서도 생활은 청빈, 겸손, 소탈, 친근하게 인간적인 풍모를 보여주었다. 그래서 그렇게 친근하게 호 아저씨라고 불린 것이다. 그의 본명은 응웬 닷 탕이지만 어릴 적 이름은 응웬 싱 콘이라고 불렀다. 평생 사용한 가명이 50개 이상이고 필명이 160여 개가 된다. 호치민은 1942년부터 사용한 이름이다. 평생 독신으로 살면서 베트남 민족 해방과 조국 통일에 헌신해 큰 존경과 사랑을 받고 있다.

2

공산당 집단체제로 안정적이다

수많은 신흥 시장 중 왜 베트남 시장인가에 대한 답변 중 가장 현실적이고 또 누구나 쉽게 수긍할 수 있는 것이 바로 베트남 사회체제의 안정성이다.

1당 공산당 집단관리체제이다

베트남은 당 서기장, 국가주석, 총리, 국회의장 등 빅 4와 12명의 정치국 위원이 국가를 이끌고 간다. 베트남은 중국과 같은 공산주의이지만 어느 한 사람이 권력을 갖는 독재체제가 아니라 여러 사람이 권력을 갖고 국가의 주요 결정을 내리는 집단체제라는 점에서 확연히 다르다. 그래서 국가가 진행하는 사업이 연속성이 있고 어느 한 사람의 권력자에 의해 하루아침에 국가 방향이 바뀌지 않는다.

또한 사회주의체제이다 보니 강한 중앙집권체제 통제 아래 강한

베트남은 공산당 전당 대회를 통해 정부를 구성하며 당이 군과 경찰을 안정적으로 장악해 치안이 매우 좋다.

군대와 경찰이 사회 전체를 유지하고 있어 매우 안정적이다. 베트남의 치안은 다른 동남아 국가와 달리 매우 안전하며 여자 혼자 밤길을 가도 거의 사고가 나지 않을 정도이다.

화교의 영향력이 미치지 않는다

베트남은 모두 54개 종족으로 이루어진 나라이지만 전체 인구의 89%가 베트남족(비엣족)이라 세력화할 수 있는 소수 민족의 절대 숫자가 적다. 특히 다른 동남아 국가들과 달리 중국 화교의 영향력이 거의 없고 그 숫자도 3%에 불과하다. 다른 동남아 국가에서 화교의 영향력은 절대적이다. 예를 들면 인도네시아의 상위 10대 기업 모두 화교 소유이다. 말레이시아 역시 화교가 경제권을 확보하고 있고 태국은 국민의 25%가 화교이다. 태국의 주요 재벌들과 하이소(하이소HighSo, 하이 소사이어티High Society의 줄임말)라 불리는 상류 사회 대부분이 화교이다. 필리핀도 100대 기업 중 70%가 화교 기업들이며 최고 부호들 역시 화교 차지이다.

역설적이게도 이러한 화교들에 의해 동남아 대부분의 국가들이 겉으로는 빠른 발전을 해왔다. 문제는 그들만의 경제 성장이라는 안타까운 점이 있다. 예를 들면 화교들이 새로 생길 신도심 땅을 미리 선점해서 대형 쇼핑몰을 짓고 국가 예산으로 도로를 깔고 전철이 연결되거나 인근에 형성되게 만들어버리는 것이다. 국가 전체적으로는 분명 성장하고 발전하는 것이지만 특정 세력들에게만 집중되는 악순환이 일어나고 있다.

베트남은 1975년 미국과의 전쟁에서 승리하자마자 화폐개혁을 통해 화교들이 장악하고 있던 경제권을 뒤흔들어 버렸다. 물론 통일로 인해 남북 베트남의 화폐를 통일시키기 위한 당연한 절차였지만 거대한 지하 경제를 움직이던 화교들이 자금을 탈탈 털릴 수밖에 없었다. 1962년 한국에서도 화폐개혁을 통해 화교들의 경제권을 빼앗았다. 그런 점에서 두 나라가 어찌 이리도 닮았는지 모르겠다. 이뿐만 아니라 전 세계에서 화교의 영향력이 없는 유일한 나라가 한국과 베트남이다. 또한 중국과 국경이 맞닿아 있으면서 조공국가는 되었을지언정 영토 복속은 되지 않은 나라가 한국과 베트남이다.

소수 민족과의 갈등이 없다

베트남의 민족 영웅 호치민 주석은 프랑스와의 전쟁에서 승리한 후 국가 수립을 선포할 때 민족 간의 화합을 상징적으로 보여주었다. 국가의 첫 깃발 게양의 영광스러운 자리에 필요한 네 명 중 두 명은 평지 비엣족 출신으로 하고 나머지 두 명은 산지 소수 민족으로 하며 민족 간의 화합을 표방했다(그 네 명은 남성 두 명에 여성 두 명이기도 하다). 베트남에서는 딱히 소수 민족이라고 해서 큰 차별을 받는 경우도 드물어 민족 갈등이 없다.

동남아 여러 국가들이 여전히 소수 민족과 타 종교 박해로 인해 테러와 반정부 시위가 일어나고 있다. 가장 극심한 곳이 필리핀이다. 최근 미얀마에서 무슬림 로힝야족에 대한 대규모 학살이 있었고 인도네시아 역시 지금도 분리 독립을 요구하는 반정부 소수 민족들이 테러를 하고 있다. 중국처럼 소수 민족이라고 해서 자신들의 언어를 고수한다거나 하는 일은 드물다. 베트남에서는 소수 민족이라 하더라도 프랑스와 미국에 대항해 함께 싸워온 전우들이다. 그래서 다른 동남아 국가에서처럼 테러나 반정부 시위가 일어나지

베트남 54개 종족의 모습을 표현한 우표

읿 는 안정적인 체제를 유지하고 있다.

동남아시아의 다른 신흥국가들과 다르다

주목받는 신흥 시장인 나이지리아, 미얀마, 필리핀 모두 종교 간, 민족 간의 갈등 때문에 독립 분리 운동이 일어나거나 폭력 분쟁으로까지 번져서 사회가 불안하기 일쑤이다. 신흥 시장의 가장 취약점이 베트남에는 없다. 게다가 대부분의 동남아 국가에서 강력한 권력을 틀어쥐고 있는 화교의 영향력 또한 없어 갈등 요소도 없다. 베트남 국민 모두는 공부를 열심히 하고 좋은 사업 아이템만 있으면 얼마든지 성공할 수 있다는 확신을 갖고 있다.

말레이시아

말레이시아에서는 말레이인들이 정치권을 잡고 있지만 경제권은 화교들이 가지고 있다. 일반적인 무슬림 말레이인들이 중하층민을 이루고 있고 주요 소비는 모두 화교들에 의해서 이루어지고 있다. 그나마도 최근에는 방글라데시와 스리랑카의 저임금 노동자들이 말레이시아 사회의 최하층민을 이루면서 불안한 사회체제가 유지되고 있다.

필리핀

몇 년 전부터 유망한 시장으로 V.I.PVietnam, Indonesia, Philippines를 꼽는다. V.I.P는 베트남, 인도네시아, 필리핀의 약칭이다. 그런데 필자는 개인적으로 필리핀은 국가적으로 지금처럼 성장할 수는 있겠지만 중산층 형성이 어려워 근본적으로 더 큰 발전은 어렵다고 생각한다. 필리핀은 1565년 스페인 식민지 점령이 시작되면서 역사가 기록되기 시작했다. 그 이전 원주민들의 역사 자체가 아예 없다. 우리나라나 베트남처럼 과거 영웅들의 모습을 배우면서 예전처럼 잘될 수 있다고 하는 구심점이 없다.

게다가 필리핀 국부의 70% 이상을 차지하고 있는 82개 크고 작은 가문들은 스페인 식민지 시대부터 지금까지 자신의 지방에서 살아오면서 소왕국을 이루고 번갈아가며 필리핀 대통령과 주지사, 시

필리핀 마닐라 토호 세력 가문 지도

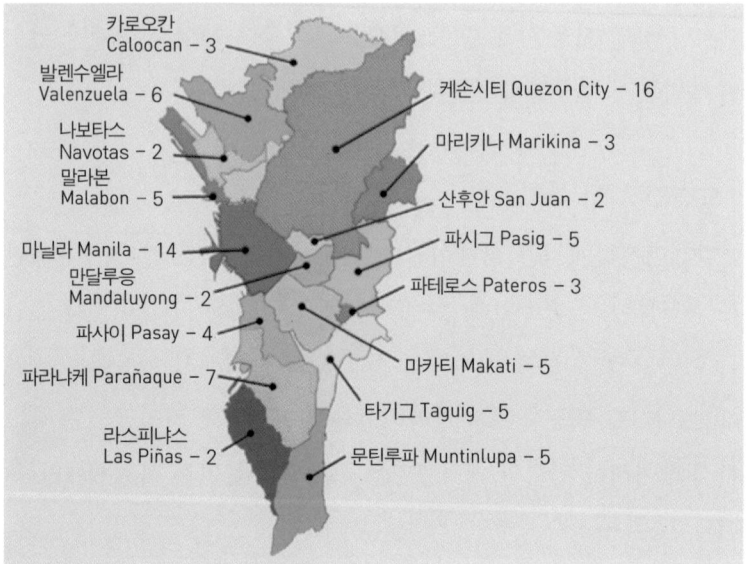

카로오칸
Caloocan – 3

발렌수엘라
Valenzuela – 6

나보타스
Navotas – 2

말라본
Malabon – 5

마닐라 Manila – 14

만달루용
Mandaluyong – 2

파사이 Pasay – 4

파라냐케 Parañaque – 7

라스피냐스
Las Piñas – 2

케손시티 Quezon City – 16

마리키나 Marikina – 3

산후안 San Juan – 2

파시그 Pasig – 5

파테로스 Pateros – 3

마카티 Makati – 5

타기그 Taguig – 5

문틴루파 Muntinlupa – 5

(출처: GMA 뉴스 리서치, 2013. 06. 13)

장, 상원의원과 하원의원을 하고 있다. 필리핀은 지방 자치주들이 모여서 국가를 이루는 연방국가이기 때문에 지방 도지사의 비리를 조사하러 나온 중앙 조사관을 총으로 쏘아 죽여도 아무런 제재가 벌어지지 않는 곳이다. 지방 주지사나 시장 선거 때만 되면 경쟁 지역 토착 가문들끼리 유세장에서 살해하거나 폭탄 테러를 일으키는 일이 다반사이다. 각 지역의 경찰마저도 어느 가문의 후원을 받느냐에 따라 법 집행 방식이 달라지니 답답할 노릇이다

필리핀 역사 자체가 식민지 시절 몇몇 가문이 스페인 왕에게 자신들을 스페인 귀족으로 인정해달라고 요청했다가 거부당한 것에 격분해서 전쟁을 벌여 독립을 한 것이다. 국민들의 열망에 의해 이루어진 독립이 아닌 지배 계층들의 정체성에 의해 이루어졌고 그

필리핀 대통령 로드리고 두테르테 캐리커처. 그는 마약
판매자와 구매자 모두를 총으로 쏘아 죽일 수 있다는 반
인권적인 명령을 내놓았는데도 일반 시민들이 환호했다.

지배 계층들이 지금까지도 변화가 없는 나라이기에 희망이 보이질
않는다. 게다가 화교들이 경제권을 쥐고 흔들고 있고 국민들은 엄
청난 빈부의 격차를 겪으며 판자촌에 살고 있는데 과연 발전할 수
있을지 암울하다. 로드리고 두테르테 대통령이 마약 판매자와 구매
자 모두를 총으로 쏘아 죽일 수 있다는 반인권적인 명령을 내놓았
는데도 일반 국민들이 환호하고 있다. 국가의 상황이 어느 정도인
지 알 수 있다.

인도네시아

인구 2억 5,000만 명에 지하자원도 풍부하니 발전 가능성이 있
지 않으냐고 긍정적으로 보는 시각도 많다. 충분히 그럴 저력이 있
는 나라인 것은 맞기는 하다. 하지만 아직도 인구의 40% 이상이 제

인도네시아에서 언급조차 금기시되는 1998년 반화교 폭동 이미지를 게재하는 것은 예의가 아닌 듯하여 다른 시위 사진으로 대체한다. 당시 이미지를 보고 싶으신 독자들은 구글에서 영어 검색해보시길 바란다.

대로 전기 공급과 수도 공급을 못 받고 있다는 것을 사람들이 잘 모른다. 1만 7,509개의 섬으로 이루어진 거대한 나라에 6,000여 개의 섬에 흩어져 살아가고 있기 때문에 교통 통신의 미발달과 물류 발전의 어려움이 있다. 인도네시아를 막연하게 인구 2억 5,000만 명의 거대 시장으로 보면 안 되는 이유이다.

1997년 IMF로 인한 인도네시아의 경제 위기에 따른 불만은 1998년 과격한 시위로 번졌다. 당시 수많은 인도네시아인들은 화교 때문에 모든 경제권이 빼앗겼다고 생각해 상대적으로 부유한 화교들을 죽이고 집을 불태우는 끔찍한 일을 벌였다. 인도네시아에서는 당시 끔찍한 사건에 대해 더 이상 공론화하는 것을 금기시하고 있지만 화교들에게는 그때의 참상에 대한 강한 트라우마가 있다. 부유한 화교들은 언제 또다시 벌어질지 모를 일에 대비해 싱가포르에 돈을 예금하고 언제든지 배를 타고 싱가포르로 탈출할 수 있는 북쪽 강변에 집을 짓고 머무르고 있다. 인도네시아 화교들의 거대 자본이 인도네시아 시장에 유통되지 못하는 이유이다.

반면 토착 인도네시아인들은 화교가 아닌 이상 경제적으로 성공하기 어렵다고 생각해 공무원이 되려고 한다. 화교들은 공무원이나 경찰이나 군인이 될 수 없기 때문에 경쟁이 낮다. 법으로 정해진 것은 아닌데 화교들이 공무원이 되지 못하는 것이 현실이다. 우수한 인재들이 새로운 산업에 뛰어들고 젊은 사업가들이 창업을 해야 한다. 그런데 인도네시아 사회 전반에 깔린 패배감 때문에 역동적인 모습을 찾기 어렵다. 다만 최근 개혁적이고 시장 친화적이면서 친서민적인 조코 위도도 대통령이 재임에 성공하면서 기대치가 매우 높다. 조코 위도도 대통령이 어떻게 군부의 반발을 잘 달래며 경제 발전을 이끌어갈지가 인도네시아 미래의 관건이다.

여하튼 굳이 남의 나라의 아픈 치부까지 들추며 하고 싶은 말은 베트남 체제의 안정성이 왜 베트남 시장인지에 대한 두 번째 답변이다.

3

새로운 것에 개방적이고 자유롭다

나와 다른 것을 인정하고 받아들인다

　베트남은 우리 예상과 달리 의외로 매우 건강하고 개방적인 사회 주의 국가이다. 베트남은 공산당이 집권하는 유일당 사회주의 국가 체제이지만 중국 정부보다 개방적이고 자유스러우며 유연한 사회 체제를 유지하고 있다. 요즘 아시아 문화를 선도한다는 대한민국이 라지만 아직도 우리 사회에서는 일본 만화 캐릭터 코스프레를 하는 사람들을 괴짜 취급하거나 사회 부적응자로 생각하는 인식이 강하 다. 그것이 왜색이라서가 아니라 남달리 희한한 짓을 한다고 배척 하고 나와 다른 것을 인정하지 않으려 하기 때문이다.

　하지만 자신이 좋아하는 캐릭터의 모습으로 분장하거나 코스프 레해서 다른 사람들에게 관심도 받고 함께 사진도 찍어주면서 나름 연예인이 된 듯한 기쁨도 만끽하면서 숨겨져 있던 또 다른 자아를 표출하는 것은 매우 건강한 커뮤니케이션의 한 방법이다. 베트남

일본 캐릭터 분장한 호치민 코스프레족. (사진 제공: Rachel Tran)

호치민에서는 일본 만화 캐릭터나 게임 캐릭터로 코스프레한 젊은 친구들을 심심치 않게 볼 수 있다. 거의 3~4개월에 한 번꼴로 이들을 위한 축제도 열리고 있다. 베트남 사람들은 재미난 구경거리로 바라본다. 한국에서처럼 매우 부정적으로 바라보는 사람은 많지 않다. 나와 다른 것을 인정하고 받아들이는 개방성이 한국보다 강하기 때문이다.

동성 간의 결혼도 불법이 아니다

다소 보수적이고 사회주의 체제가 강한 하노이는 상대적으로 개방적인 호치민과는 다르다. 하지만 베트남 사회 자체가 다른 이들에

비엣 프라이드 사이공에서 자축하는 베트남 동성연애자들과 지지자들

대해 열린 태도를 지녀 한국보다 더 개방적이다.

　태국만큼은 아니지만 동성애자들이 공개적으로 결혼식을 올리기도 하고 자신이 게이임을 떳떳하게 공개하고 직장에서 일할 수 있다. 베트남 정부는 2015년 1월 1일부로 동성 결혼을 금지하는 법

안을 폐기했다. 그동안은 불법으로 규정하고 적은 금액의 벌금을 부과해왔다. 그런데 동성 간의 결혼을 공식적으로 인정하지는 않지만 그렇다고 더 이상 규제도 하지 않고 있다. 참으로 개방적이고 유연한 사회주의 국가가 아닐 수 없다.

베트남 쇼핑몰이나 백화점 1층 화장품 매장에서 근무하는 남성들 대부분은 게이이다. 필자가 다니던 회사 매장 남성 판매 직원들 모두 게이였다. 가끔 본사 출장자들이 그러한 사실을 알고 당황해하고는 했는데 한국 사회가 얼마나 폐쇄적인지를 보여주는 방증이 아닐까 싶다.

종교의 다양성을 인정하고 자유를 허용한다

베트남 사람들의 개방성은 사회주의 국가임에도 종교의 다양성을 인정하는 것에서 가장 잘 드러난다. 베트남에는 기본적으로 '도교+불교'가 합쳐진 토착 신앙과 불교는 물론이고 가톨릭부터 힌두교와 무슬림까지 다양한 종교가 있다. 베트남은 사회주의 국가임에도 불구하고 중국과 달리 종교의 자유를 인정하는 유연한 사회체제이다.

베트남 전체 인구의 70%가 딱히 종교가 없고 조상신이나 전통적인 토착 신앙을 믿고 있으며 가톨릭과 불교 신자들이 서로 갈등을 일으키지도 않는다. 베트남 관련 많은 자료와 책들에 베트남 인구의 70%가 불교를 믿는다고 잘못 씌어 있다. 이는 베트남 민간 신앙을 불교로 오인한 것이다.

베트남에는 가톨릭, 불교, 도교, 힌두교, 이슬람교, 베트남 자생 종교까지 다양한
사원이 있다.

　　베트남 사람들에게 종교는 기본적으로 구복 신앙이라 가족의 안
녕과 건강을 기원하는 것이 강하다. 그 외 일부 이슬람교도와 힌두
교도들이 있지만 다른 종교와의 갈등은 없다. 힌두교와 이슬람교

사원은 하노이를 중심으로 한 북부에서는 보기 힘들지만 호치민을 위시한 남부에는 쉽게 볼 수 있다. 베트남이라는 국가의 유연성과 개방성을 엿볼 수 있다.

베트남의 이런 개방성은 공산당이 군과 경찰력을 확실히 장악하고 있어 확고한 사회 질서 유지가 가능하기 때문이라고 생각한다. 이는 베트남 정부의 안정적인 사회체제에 대한 자신감 표출이기도 하다. 다른 사상을 받아들일 수 있는 여유, 유연함. 사회주의 국가이면서도 다양한 것을 받아들일 줄 아는 사람들과 이를 억압하지 않는 사회체제. 이것이 바로 왜 베트남 시장인지에 대한 세 번째 답변이다.

4

여성이 강한 걸 크러시의 나라이다

베트남 건국 신화에 따르면 선계의 여인인 어우 꺼와 용왕의 아들인 락롱 꿘이 서로 사랑을 해서 100개의 알을 낳았고 그 알에서 100명의 사내아이들이 태어났다. 그런데 한 명은 육지의 사람이고 또 한 명은 바닷속의 사람이라 함께 지낼 수 없어서 어쩔 수 없이 헤어지게 된다.

락롱 꿘이 "비록 나는 수궁에서 생활하는 용이고 부인은 육지에서 생활하는 선인으로 서로가 달랐지만 음양 화합하여 자녀가 생겼습니다. 하지만 생활하는 지역이 같지 않으니 영원하기가 어렵습니다. 이제 어쩔 수 없이 헤어지게 되니 내가 50명을 수궁으로 데리고 가서 여러 지역을 다스리게 할 테니 부인은 50명을 육지로 데리고 가서 여러 지역을 나눠 다스리게 하세요. 산이든 물이든 일이 있으면 서로 버리지 말고 같이 해결하도록 합시다." 하고 말했다.

어우 꺼는 50개의 알에서 부화한 아이 중 가장 힘이 셌던 '홍 브엉Hung Vuong'을 왕으로 삼고 베트남 최초의 국가인 '반랑' 왕국을

어우 꺼와 알에서 태어난 아이들

세웠다. 이후 반랑 왕국의 왕들은 모두 흥 브엉이라 불렸다. 어우 꺼가 낳은 이들 100명의 사내아이들이 곧 바익 비엣(Bách Việt, 百越, 백월)의 시조이다.*

홍 브엉은 우리로 따지면 단군 왕검인데 모계 중심의 종족과 부계 중심의 종족이 서로 연합했다가 관계가 틀어진 것을 신화로 묘사한 것으로 추정된다. 베트남은 여성 시조를 알리고 숭배한다는 점에서 전통적으로 여성에 대한 사회적 지위가 상당히 높았음을 추정해볼 수 있다. 이것은 무리한 추론이 아니다. 베트남에는 여성 영웅들이 참 많기 때문이다.

1세기 중국의 후한을 상대로 민중 봉기를 일으킨 '쯩 짝Trung Trac'과 '쯩 니Trung Nhi'라는 자매가 있었다. 이들은 나중에 스스로

---

* 서울대학교 응웬 홍 투이Nguyen Hong Thuy 해석 참조

코끼리 위에서 군을 지휘하는 쯩자매와 용맹한 36명의 여성 장군들

왕이 되기도 했다. 이들의 봉기는 베트남 최초의 대규모 조직적 저항이었다는 점에서 의미가 있다. 또 하나 재미있는 사실은 이들 쯩자매가 후한과 전쟁을 했을 때 36명의 여성 장군이 있었고 중국 군사를 두려움에 떨게 했던 백발백중의 여성 궁수 스나이퍼 부대가 별도로 있었다는 점이다. 단순하게 걸출한 두 명의 여성만 있었던 것이 아니라 함께 싸운 여성 영웅들이 더 있었다는 이야기다.

베트남 전국 주요 도로 중에는 하이 바 쯩Hai Ba Trung이라는 도로명이 많다. 이 쯩자매를 기리기 위해 조성된 도로이며 음력 2월 8일에는 그녀들의 용기를 칭송하며 넋을 기린다. 호치민에 있는 여성 박물관에는 이들 여성 이외에도 베트남 역사 3,000년 동안 걸출했던 65명의 여성 영웅들의 이야기와 그림이 걸려 있다. 베트남에는 수많은 여성 영웅들의 이름을 딴 도로명이 많다. 응우엔 티 민 카이Nguyen Thi Minh Khai, 보 티 사우Vo Thi sau, 응우엔 티 민Nguyen Thi

베트남의 민족 영웅 호치민 주석은 프랑스와의 전쟁에서 승리를 거두고 난 뒤 1945년 9월 2일 하노이 바딘 광장에서 베트남 민주공화국의 수립을 선포했다. 당시 고산 지대 소수 민족 남성 1명과 여성 1명, 평야 지대의 베트남족 남성 1명 여성 1명이 베트남 정부 수립 첫 국기를 달게 했다.

Dinh……. 베트남 여성 영웅들을 기리기 위해 그녀들의 이름으로 만든 도로명이 베트남 전국에 수없이 많다.

베트남의 민족 영웅 호치민 주석은 프랑스와의 전쟁에서 승리를 거두고 난 뒤 1945년 9월 2일 하노이 바딘Ba Dinh 광장에서 베트남 민주공화국 수립을 선포했다. 당시 고산 지대 소수 민족 남성 1명과 여성 1명, 평야 지대의 베트남족 남성 1명과 여성 1명이 베트남 정부 수립 첫 국기를 달게 했다. 호치민 주석은 여성을 혁명을 함께 이루어낸 동지라고 생각한 것이다. 정치적인 이유로 소수민족을 형식적인 대표로 내세울 수는 있다 하더라도 여성을 두 명이나 내세운 것은 호치민 주석뿐만 아니라 베트남 사람 전체가 여성을 동등한 위지로 인정한다는 것을 증명하는 것이다. 민족적 평등, 성별의 평등을 확연히 보여주는 상징적인 모습이다.

베트남 내 여러 박물관에 걸려 있는 베트남 전쟁의 그림들을 보면 더욱 분명해진다. 동서고금을 막론하고 어느 사회에서나 여성은

용맹한 베트남 여성 전사들의 모습.

전쟁의 일방적인 피해자였다. 하지만 베트남 여성들은 전쟁에 적극 참여했고 단순히 보조 업무를 하지 않고 남성들과 동등한 위치에서 전쟁을 수행했다. 하노이 전쟁 박물관에 전시된 추락한 미군 비행기 잔해를 마치 사냥감 끌고 가듯 가는 베트남 여성 전사의 모습이 개인적으로 베트남 여성을 가장 잘 보여주는 모습이라 생각한다.

우리나라에서 존경해 마지않은 여성이라며 최고액권인 5만 원권의 인물에 오른 신사임당. 그녀의 위대한 업적은 능력이 뛰어남에도 집안 시끄럽게 하지 않고 집에서 남편 봉양을 잘했으며 아들을 위대한 성리학자로 키우는 데 뒷바라지한 것이란다. 여성에 대한 대한민국의 인식이 이리도 척박하다.

생각해보면 한국의 여성이 녹록한 사람들이 아닌데 걸출한 여성 영웅이 없었다는 것을 수긍할 수 없다. 항상 드는 의문이 우리 역사에 여성 영웅들이 정말 없었던 것일까, 아니면 남성 중심의 사회가 이를 철저하게 막아버리고 기록을 남기지 않았던 것일까? 대한민

베트남 전쟁 중 추락한 미군 비행기 잔해를 끌고 가는 여성
전사. 필자는 개인적으로 베트남 여성을 가장 상징적으로
보여주는 모습이라 생각한다.

국 국민 모두 아는 인물인 유관순 누나 말고 또 우리가 기억하는 여
성 영웅이 있었던가? 행주산성에서 행주치마로 돌을 날랐던 무명
의 조선 아낙들이 머릿속에 떠오르는 여성 영웅이랄까. 일제 시대
때 맹활약했던 여성 영웅들이 많았을 터인데 알려지지 않아 잘 모
르고 산다.

　베트남에서는 남성과 여성은 동등하게 재산 상속 권한이 있으며
집안에 남자가 없으면 여성이 제사를 지낼 수 있다. 게다가 베트남
에서 전통적으로 추앙받는 27신 중 절반인 13신이 여성 신이다.

게다가 현재 베트남 국회의원의 30%는 여성이다. 국가 권력 서열 4위인 국회의장 역시 여성이다. 다른 어떤 나라보다도 여성의 사회적 지위가 높은 나라가 바로 베트남이다.

베트남의 1인당 국민소득이 2018년 IMF 기준으로 2,590달러이다. 지금 당장은 소비력이 작은 나라이다. 하지만 여성의 사회 참여율이 높고 자기 스스로가 삶의 주체인 베트남 여성들의 구매력Buying Power은 매우 강하다. 소비재 시장을 만들고 이끌어나가는 여성 소비자들의 위상이 높기에 베트남 시장의 미래가 밝을 수밖에 없지 않을까? 베트남 소비재 시장을 바라보는 기업과 투자자라면 이 점을 눈여겨보길 강권한다. 왜 베트남 시장인지에 대한 네 번째 답변이다.

5

트렌드에 민감한 IT 강국이다

와이파이 천국이다

2011년 처음 베트남에 왔을 때 1인당 국민소득이 1,500달러밖에 안 되는 나라에서 스마트폰 사용자들이 많은 것을 보고는 충격을 받았다. 한마디로 좀 더 잘사는 한국 사람인 나도 스마트폰을 안 쓰는데 못사는 나라인 베트남 사람들이 스마트폰을 사용하는 것이 믿기지 않아 충격이었던 것이다.

게다가 호치민은 와이파이 천국이었다. 호텔뿐 아니라 길거리 식당이나 카페에서조차도 와이파이가 무료였다. 한국에서도 무료 와이파이가 드물었고 2013년까지도 싱가포르나 태국 5성급 호텔에서도 하루 와이파이 사용료가 10~20달러였다. 그런데 베트남에서는 커피 한 잔에 1,000원도 안 하는 곳에서도 와이파이가 무료였다. 그것도 에어컨도 안 나오고 선풍기가 돌아가는 허름한 카페와 식당에서 말이다. 뭔가 1980년대와 2011년이 혼합되어 있는 부조

2011년 당시 베트남은 이런 환경이었는데 스마트폰 사용자가 꽤 많았다.

화스러운 모습이 이해가 안 되었다. 나름 3개월간 서울대학교 도서관에 있는 베트남 관련 책이란 책은 다 읽고 왔는데 건방진 자신감이 한 방에 무너졌다.

사실 지금도 월급이 300달러도 안 되는 사람들이 스마트폰을 사

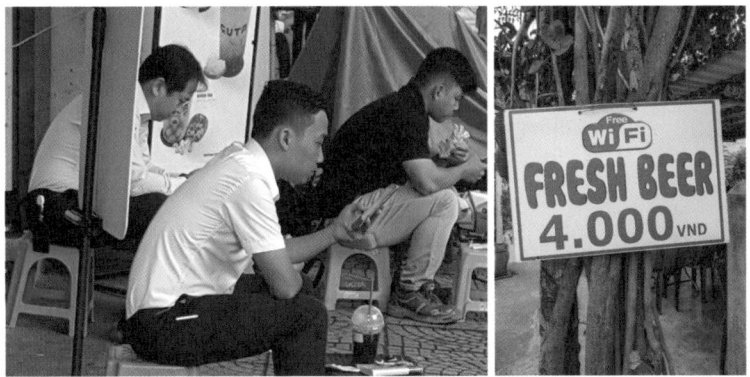
맥주 한 잔에 200원밖에 안 하는 길거리 카페에서도 와이파이는 무료이다. 2019
년 영국의 글로벌 리서치 회사 위아소셜에 따르면 베트남 사람들의 1일 인터넷 이
용 시간은 6시간 42분이다.

용하는 것을 보면 베트남 사람들의 소득 수준을 가늠할 수가 없다.
그도 그럴 것이 베트남 사람들의 소비력은 단순 통계상의 숫자로는
절대 파악할 수 없기 때문이다. 중국의 통계자료는 작은 것을 크게
뻥튀기한 것이 많지만 베트남의 통계자료는 제대로 파악할 수가 없
어 실제보다 작은 규모로 보고되고 있다.

　영국의 글로벌 디지털 리서치 회사 위아소셜We Are Social에 따르
면, 2015년 기준 베트남에서 스마트폰을 보유한 18세 이상의 성인
인구 비율은 55%로 나타난다(2017년 코트라 하노이 무역관 리포트).
2015년 기준이니 지금은 80%가 넘을 것으로 추정되며 베트남 도
시화율이 30%밖에 안 되는 상황을 고려하면 도시에 사는 사람 대
부분의 스마트폰을 이용한다는 이야기이다. 그렇다면 베트남 사람
들은 실제로 돈이 많기 때문에 스마트폰을 사용하는 것인가 하는
의문이 들었다. 지난 10년간 베트남에 살면서 살펴본 바로는 그것
이 맞기도 하고 다른 이유가 있기도 하다고 생각한다.

IT 강국이다

2011년 일본과 베트남을 비교하면 길거리에서 스마트폰을 들고 다니는 사람의 체감 비율은 베트남이 더 높았다. 일본에서는 스마트폰에 대한 거부감 때문에 시장이 매우 늦게 형성되었고 결국 IT 업계에서 밀려나는 수모를 겪었다. 하지만 베트남에서는 소득 수준과 상관없이 스마트폰 시장이 급속도로 성장했다.

여기에는 베트남의 인터넷 환경도 한몫한다. 베트남은 사회주의 국가답지 않게 인터넷 환경이 매우 좋아 길거리 어디에서나 무료 와이파이 존이 잘 형성되어 있다. 다낭이나 후에에는 도시 전체가 와이파이 존을 형성한 곳도 있다. 베트남에서는 페이스북 이용률이 매우 높다. 위아소셜에 따르면 베트남에서 5,500만 명가량이 페이스북을 이용하고 있다고 한다. SNS를 차단하고 여론 차단에 힘쓰는 중국과는 참 많이 다르다.

베트남에서는 군이 기업을 운영해 수익 사업을 내고 있는데 그중 군대가 운영하는 비엣텔Viettel이라는 통신사는 인근 아세안 국가 캄보디아, 미얀마, 라오스뿐만 아니라 아프리카 모잠비크, 탄자니아 남미 페루 등 전 세계 10개국에 진출 1억 7,500만 명의 가입자를 확보한 세계 15대 통신 그룹이다. 비엣텔은 이동 통신뿐만 아니라 통신 전자 사업, 하이테크 무기 사업, 사이버 보안 사업까지 진행 중이다

들리는 소문으로는 하노이에서 열렸던 북-미 정상회담이 잘 성사되었다면 비엣텔이 북한으로 진출했을 것이라고 한다. 글로벌 기업이나 자신들을 장악하려는 중국 기업보다는 베트남의 군통신사

베트남은 다른 어떤 동남아 국가보다 스마트폰 보급률이 높다.

가 신뢰할 수 있다는 것이다.

베트남이 IT 강국임을 증명하는 또 다른 것은 바로 베트남 국민 메신저 잘로Zalo이다. 2012년 12월 런칭해서 1년 4개월 만에 1,000만 명 유저를 확보하고 다시 1년 후 3,000만 명 유저를 달성하더니 지금은 약 8,000만 명의 유저를 보유한 초대박 국민 메신저가 되어 있다.

전세계 통틀어서 자국의 메신저가 시장 점유율 1위를 차지하고

비엣텔은 세계 곳곳에 진출했다. 시계 방향으로 부룬디, 아이티, 페루, 카메룬

있는 나라는 손으로 꼽을 정도이다. 글로벌 모바일 메신저들을 다 물리치고 베트남의 모바일 앱이 시장 점유율 1등을 차지하는 기염을 토하고 있다.

겉으로 봐서는 IT 강국이자 트렌드에 민감한 베트남의 속성을 알수 없다. 그럼에도 베트남 주재원들이 공통적으로 동의하는 부분이 있다. 한국 본사에서 교육하러 와서 보면 베트남 직원들의 눈빛은 그 어느 때보다 진지하고 수업 내용에 대한 질문이 많다는 것이다. 새로운 것을 익히고 남의 것을 자신의 것으로 소화해서 발전한 일본, 한국, 중국과 유사한 특징을 보이는 것이다. 그래서 베트남이 곧 성장하게 될 것이라는 논리가 무리는 아니라고 생각한다.

기존의 관습과 새로운 것을 받아들이는 것 사이에서 괴리감이라

2017년 2월 잘로 가입자 7,000만 명 돌파 기념 배너. 2012년 12월 런칭해서 1년 4개월 만에 1,000만 명 유저를 확보하고 다시 1년 후 3,000만 명 유저를 달성하더니 지금은 약 8,000만 명의 유저를 보유한 초대박 국민 메신저가 되어 있다.

고 하는 것은 존재한다. 하지만 베트남 사람들은 자신이 필요하다고 생각하는 분야에 대해서는 새로운 것을 받아들이는 속도가 5G 속도로 빠르다는 점. 지금 당장은 베트남의 절대적 시장 규모가 작지만 특정 상품이 필요하다고 느끼는 순간 해당 카테고리 규모가 3배, 4배 커지는 것은 순식간이 될 수 있다.

베트남은 단순하게 인구가 많고 아직 저성장했기 때문에 잠재력이 있다고 말하면 안 된다. 베트남의 잠재력은 내일이라도 당장 트렌드가 형성되었을 때 폭발적으로 성장할 수 있는 시장이다. 베트남은 새로운 것을 받아들이려는 생동감이 넘치는 나라이다. 왜 베트남 시장인지에 대한 다섯 번째 답변이다.

6

대기만성형 성장 모델이다

대부분의 한국 기업과 한국 분들에게는 지난 10년간 폭발적으로 성장한 중국 시장에서의 경험이 해외 시장의 이상적인 모델이 되어 버렸다. 그러다 보니 포스트 차이나로 각광받는 베트남 시장에 대한 장밋빛 환상만 안고서 사업해보겠다고 찾아오는 분들이 나날이 늘어간다. 그럴 때마다 필자는 '지금 당장은 아닌데 몇 년간 적자가 나더라도 참고 견디실 수 있으신지'를 확인하고 또 여쭈어본다. 안타깝게도 대부분은 중국에서처럼 크게 '한 방', 최소한 3년 안에 수익을 거둘 수 있을 것으로 기대한다.

특히나 중국에서 꽤나 괜찮은 결과를 얻었던 분들은 "나도 중국에서 해봤다." "내 중국에서의 경험을 무시하느냐."며 불쾌해하는 경우도 많다. 지난 10년간 베트남 시장이 중국과는 확연히 다르고 단숨에 소기의 목표를 달성할 수 없다고 이야기해도 무시했던 분들의 대부분은 2년이 채 안 되어 쓸쓸하게 떠났다.

그런데 중국에 대한 기억을 잘 더듬어보면 2000년대 초반까지만 해도 '중국 시장 마음 먹은 대로 안 된다' '만만디 중국 시장 성질 급한 한국 기업 속앓이'라는 헤드라인을 장식한 국내 언론보도가 많았다. 지난 10년간 황금알을 낳던 중국 시장도 처음에는 더디게 성장하다가 내부적으로 인프라가 구축되고 구매력을 갖춘 중산층들이 점점 형성되어가면서 급성장하게 된 것이다. 베트남도 그 과정을 겪고 있고 이제 곧 세계에서 가장 주목받는 시장이 되어갈 준비를 하고 있다. 다만 그 방식은 대기만성형 경제 발전이다.

베트남은 시장이 남북으로 분산됐다

태국법인 직원들에게 태국의 제2도시가 어디인지 물어본 적이 있다. 대부분은 당황해하면서 대답을 못했고 일부 직원들이 '파타야'나 '치앙마이'를 말했다. 20여 년 전에는 태국 남부 휴양 도시 파타야가 제2도시였다. 그러나 치앙마이 출신의 탁신이 2001년 총리가 되면서 치앙마이가 제2도시가 되었다. '인구 11만의 파타야' '인구 30만의 치앙마이'는 동남아시아 최대 소비 유통 국가인 태국의 두 번째 도시라고 하기에는 그 규모가 초라하다.

과거 태국은 국가 예산의 80%를 방콕에 쏟아부었다가 탁신 총리가 자신의 고향인 치앙마이 발전을 도모하면서 예산의 70%를 방콕에 주고 10%를 치앙마이에 주었다. 그렇게 되면서 지난 20여 년간 치앙마이가 태국의 제2도시가 되었다. 연거푸 말하지만 그러기에는 제2도시라는 타이틀이 초라하다.

최대한 효율적으로 수익을 내고 싶은 외국인 투자자 입장에서

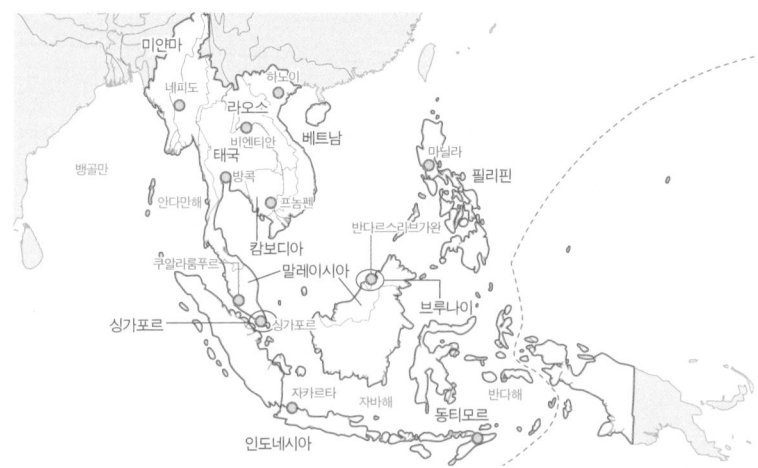

동남아시아 국가들 대부분은 수도를 제외하고는 제2도시라고 할 만한 곳이 없다. 있다고 하더라도 그 인구수나 경제 격차는 10배가 넘게 차이가 난다.

는 태국이나 말레이시아는 매력적인 곳이다. 특히나 인구 3,000만 명에 1인당 국민소득 1만 달러의 말레이시아 경우 중상층을 형성하며 소비를 주도하는 사람들의 대부분은 화교들이다. 말레이시아의 최고 경제 도시 쿠알라룸푸르 화교들의 1인당 국민 소득은 2만 5,000달러가 넘어 한국 소비자와 소비 형태가 크게 다르지 않다. 해외 진출하기에 자원이 부족한 중소기업이 말레이시아에 진출할 때 쿠알라룸푸르 한 곳에만 집중하면 비용 대비 최대 효과를 낼 수 있다.

마찬가지로 태국에 진출하려면 방콕으로 하고 필리핀에 진출하려면 마닐라로 하면 해당 국가 전체 시장에 진출하는 것 못지않은 결과를 기대할 수 있다. 그러나 2011년 태국 대홍수 때 방콕이 물에 잠기면서 국가 경제 전체가 침수당하는 상황을 겪었다. 고위험 **High risk**, 고수익**High Return**이다. 그런 면에서 베트남은 그동안 답답

- 호치민 – 하노이 1,614킬로미터,
  항공거리 2시간
- 호치민 – 방콕 866킬로미터,
  항공거리 1시간

서울에서 도쿄까지 항공 거리인 1시간 10분보다 호치민 – 하노이 거리가 1시간 가량 더 걸린다. 그만큼 그동안 베트남 시장이 더디게 발전할 수밖에 없었다.

하기 그지 없는 분산된 시장이었다.

베트남은 남북이 확연히 다르다

베트남 시장에 진출하려면 하노이와 호치민 두 곳에서 사업을 전개해야 한다. 그런데 같은 나라 안의 도시인 '하노이-호치민' 거리보다 다른 나라의 수도로 가는 '호치민-방콕' 거리가 훨씬 가깝다. 외국인 투자자 입장에서는 그만큼 분산된 먼 거리가 크나큰 리스크로 보일 수밖에 없다.

베트남에 진출할 때 인구 1억 명인 젊고 매력적인 시장으로만 생각하지만 하노이와 호치민 두 곳 동시에 법인을 운영하는 것이 아니면 인구 5,000만 명 미만의 베트남 남부나 베트남 북부 시장으로 나누어서 봐야 한다. 호치민과 하노이 두 곳에 법인을 운영했을 때의 비용 투입 대비 효용은 당연히 떨어질 수밖에 없다. 대륙 기질이 강한 북부와 해양 문화인 남부는 서로 많은 것이 다른 시장이기 때문이다.

베트남 북부는 겨울을 포함한 4계절이 있으며 남부와 달리 산이 많고 쌀농사는 2모작을 한다. 대대로 중국 대륙과 붙어 있어 잦은 노략질을 당했고 1년에 일고여덟 차례 태풍과 같은 자연재해도 많다. 그러다 보니 만일의 사태에 대비해야 하는 북부 사람들은 항상 절약하고 아끼는 습관이 일상화되어 있다. 또한 북부는 프랑스로부터 독립한 이래로 사회주의 경제체제를 시행해왔기 때문에 남부에 비해 다소 보수적이고 경직되어 있다는 평을 많이 듣는다.

반면 남부는 건기와 우기 딱 2계절로 나뉘며 태풍은 남부에서는 만날 수도 없는데다 쌀농사는 일반적으로 3모작, 일부 지역은 4모작까지도 가능하다. 지천에 널린 것이 과일과 먹을거리이다. 특히 메콩강 유역에는 물 반 고기 반이라는 말이 과장이 아닐 정도로 수산자원이 넘쳐난다. 바다를 끼고 있어 예로부터 다양한 외래 문물이 많이 들어왔고 동남아 특유의 낙천성까지 갖추고 있어 행동이 느릿느릿하다. 추운 겨울 걱정도, 식량 걱정도, 자연재해 걱정도 없는 축복받은 지역에서 살아온 사람들이기에 낙천적인 것이 당연하다. 게다가 프랑스로부터 독립 이후 미군정하에 있었기 때문에 자유시장 경제체제가 익숙하다. 1975년 미국과의 전쟁에서 승리한 이후 1986년 도이 머이 개방화 정책이 시행될 때까지 11년간만

사회주의 경제체제에 있었던 사람들이라 상대적으로 소비 욕구도 강하고 트렌드에도 민감하다

이처럼 호치민과 하노이 사람들의 기질이 다르니 소비 성향 역시 달라 베트남 현지 호치민 사람들도 하노이에서 사업하면 힘들다고 이야기한다. 긴 나라이다 보니 북쪽과 남쪽의 문화가 확연히 다르기 때문이다. 인구 1억 명의 매력적인 시장이 절반으로 쪼그라드는 것이다. 하지만 다양한 문화의 남북 각기 다른 메가 도시의 균형 성장은 베트남 자국민 입장에서는 너무도 좋은 일이다. 외국 투자자들 때문에 어느 한 곳이 급격히 성장하고 빈부의 격차가 심하게 난다면 중산층이 형성되지 않는 필리핀처럼 불행한 나라가 된다. 동남아시아 최고의 소비 도시는 방콕이다. 하지만 태국에서 방콕 이외의 도시는 대부분 개발이 미비한 불균형 성장을 하고 있다. 베트남도 방콕처럼 호치민이나 하노이 중 한 곳에 집중 투자했다면 꽤 성숙한 시장이 되어 있었겠지만 더 이상 발전 가능성이 없게 되어 있었을 것이다.

베트남에는 메가 시티 2개와 직할시 3개가 있다

베트남 최대 경제 도시 호치민은 인구 1,300만 명이고 수도인 하노이는 인구 850만 명이다. 나머지 3개 직할시인 하이퐁은 200만, 중부 다낭은 130만, 남부 껀터는 150만 명이다.

필자가 베트남 정부가 다른 어떤 동남아시아 국가의 정부보다 현명하고 국정 운영을 잘하고 있다고 보는 것 중의 하나가 바로 국토

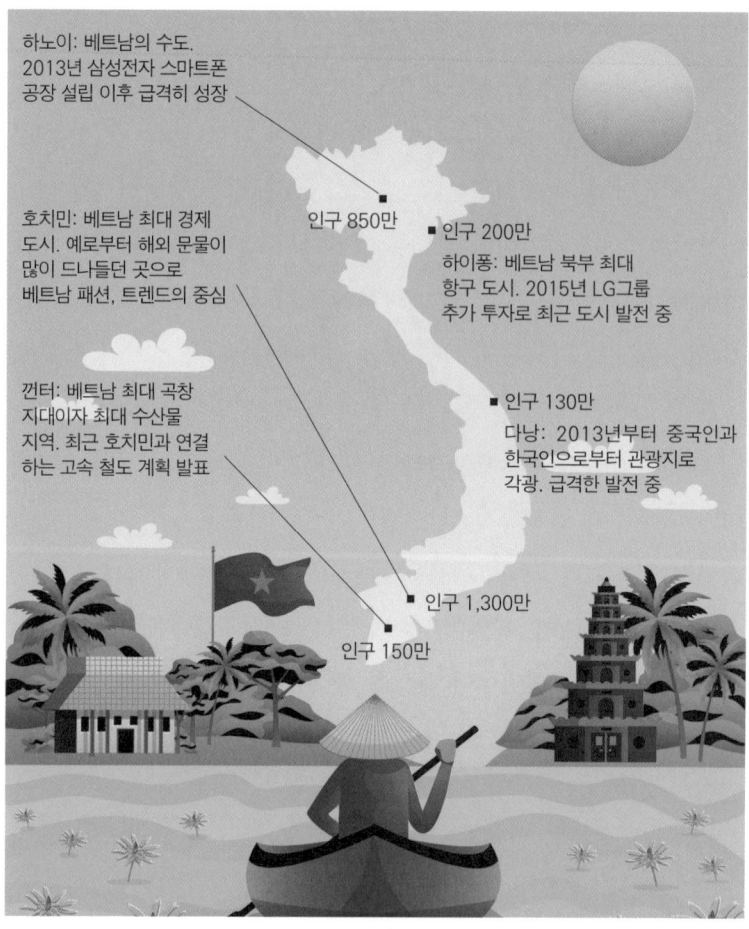

하노이: 베트남의 수도.
2013년 삼성전자 스마트폰
공장 설립 이후 급격히 성장

인구 850만

인구 200만

하이퐁: 베트남 북부 최대
항구 도시. 2015년 LG그룹
추가 투자로 최근 도시 발전 중

호치민: 베트남 최대 경제
도시. 예로부터 해외 문물이
많이 드나들던 곳으로
베트남 패션, 트렌드의 중심

껀터: 베트남 최대 곡창
지대이자 최대 수산물
지역. 최근 호치민과 연결
하는 고속 철도 계획 발표

인구 130만

다낭: 2013년부터 중국인과
한국인으로부터 관광지로
각광. 급격한 발전 중

인구 1,300만

인구 150만

균형 발전이다. 2000년대 말 베트남 정부는 남부에 집중된 외국인
투자를 제한하고 북쪽으로 투자 유치를 이끌어 북부 지역이 빠르게
발전하고 있다. 대표적인 것이 하노이에서 1시간가량 떨어진 박닌
성에 삼성전자 스마트폰 공장을 유치한 것이다. 삼성전자가 들어오
자 삼성전기와 삼성 SDI 등의 계열사와 그 협력 업체까지 30만 명
이상을 고용 창출하는 거대 산업 클러스터가 형성되었다. 삼성 그룹

이 베트남 국가 전체 국내총생산GDP의 20% 이상을 만들어내고 있다. 하노이 북부의 발전이 얼마나 빠르게 이루어졌을지 상상할 수 있을 것이다.

삼성의 선전에 오랜 라이벌 기업인 LG는 베트남 북부 하이퐁에 LG그룹 산업 단지를 재정비했다. 1990년대 말 베트남에 그룹 차원에서 진출했지만 너무 이른 진출로 실패를 맛보았다. 하지만 최근 삼성전자의 대약진으로 자극을 받아 하이퐁에 LG전자, LG화학, LG디스플레이 등의 LG그룹 계열사들 및 그 협력업체들 중심으로 하노이와 하이퐁 사이에 추가로 공단을 조성하고 수출을 원활하게 할 수 있도록 도로를 새로 만들며 북부 베트남을 발전시키고 있다. 여기에 최근 미중 무역 전쟁이 발발하면서 외국 기업들의 탈중국 러쉬가 베트남으로 향하고 있다. 중국 기업들마저도 미국의 관세 전쟁을 피하고자 베트남 북부로 옮겨오고 있다.

그리고 베트남 중부 지방의 대표 도시 다낭은 일찍이 베트남 정부가 스마트 시티로 지정하고 상업과 휴양 도시로 발전시키고 있었다. 그러한 절묘한 타이밍에 한국에서 다낭으로 관광 붐이 일면서 빠르게 발전하고 있다. 물론 한국인 관광객뿐만 아니라 중국의 수많은 자본이 다낭에 투자를 하고 중국인 관광객들이 밀려들면서 가속 성장을 하고 있다.

5대 도시 중 마지막인 껀터는 베트남 최대 곡창지대이자 농수산물 수출 기지이지만 아직 이렇다 할 성장 호재는 없다. 하지만 캐나다 기업이 호치민과 껀터를 잇는 고속철도 투자 방안을 내놓았고 한국 기업들과도 농수산물 관련 협의가 활발해지고 있다. 이처럼 베트남 정부는 다른 동남아시아 국가들과 달리 특정 도시 한 곳에 모든 것이 집중되지 않게 외국인 투자를 분산시키고 있다. 외국인 투자와 국가 예산이 분산되어 쓰이다 보니 국가 발전이 더딜 수밖에 없다.

하지만 베트남 정부는 현명하게 시간이 걸리더라도 어느 한쪽에 치우치지 않고 차근차근 성장하는 방식을 택하고 있다. 베트남의 부흥을 위해서라면 흔들림 없이 지금의 기조를 유지해야 한다. 이것이 필자가 지난 10여 년간 베트남 시장은 아직 시간이 필요하다고 이야기해온 근거이다. 그리고 이제 폭발적으로 성장할 수밖에 없다고 보는 이유이다.

7

소비자 연령별 분석 1
- 전쟁세대 1970년생· 베이비부머 1980년생

그동안 더디지만 성장하고 있었다

프랑스의 현존하는 최고의 천재라고 불리는 대표적인 지성인 자크 아탈리는 2007년 출간한 『미래의 물결』에서 베트남이 정치, 금융, 교육개혁, 인프라 건설과 부정부패 척결을 이룬다면 2025년에 인구 1억 2,500만 명의 아시아 3위의 경제 대국으로 부상할 것으로 예측했다.

이뿐만 아니라 한동안 베트남은 '포스트 차이나' '넥스트 차이나' '차이나+원' 등으로 불리며 세계에서 가장 유망받는 시장으로 각광을 받았다. 그러나 2008년 글로벌 금융위기를 기점으로 베트남 경제는 급격히 힘들어졌으며 국영 조선기업 비나신Vina Shin이 부도 처리되며 한동안 투자자들의 관심 밖으로 벗어났다. 하지만 필자는 2008년부터 2015년까지 베트남 경제가 힘든 시기였다고 말하지만 베트남에 진출한 외국 기업들이나 힘들었지 베트남 사람들이나

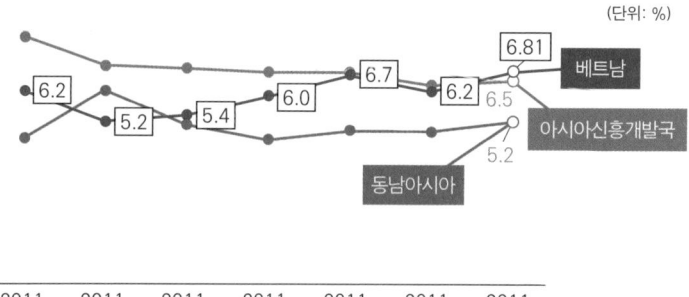

(단위: %)

6.81 베트남
6.2 5.2 5.4 6.0 6.7 6.2 6.5 아시아신흥개발국
동남아시아 5.2

2011   2011   2011   2011   2011   2011   2011

※ 동남아시아: 인도네시아, 말레이시아, 필리핀, 태국, 베트남 등 아세안(동남아국가연합) 5개국을 의미한다.
(자료 출처, 2018년 코트라 하노이 무역관)

베트남 기업 자체가 힘든 것은 없었다고 생각한다.

2008년 미국 서브 프라임 모기지 사태로 촉발된 글로벌 경제 위기는 대출을 받아 집을 산 중산층들이 직장을 잃고 급등한 이자와 떨어지는 집값 때문에 가장 힘든 시기였다. 하지만 베트남에서는 부도난 회사 때문에 일자리를 잃은 사람도, 대출을 받아 집을 산 중산층도 거의 없었기 때문에 무슨 영향이 있었을까 싶다. 중산층의 몰락은 소비 시장을 얼어붙게 만든다지만 역시 같은 이유로 베트남 소비 시장은 더디지만 성장하고 있었다. 필자는 오히려 외국 자본의 무분별한 투자로 인한 버블 경제가 적절한 시기에 잘 터졌다고 생각한다. 오히려 2008년부터 약 7년 동안의 버블 경제를 잘 소화할 절호의 기회였다.

필자는 지난 10여 년간 베트남 소비 시장의 더딘 성장을 다른 요인으로 바라본다. 어느 사회에서나 30~40대는 상대적으로 다른 연령층에 비해 경제력이 커서 소비재 시장에서 핵심 소비층이다 (다만 선진국으로 갈수록 30대 〈 20대 〈 10대 순으로 소비력이 그 못지않게 커진다).

베트남 역시 30~40대가 주요 소비층으로서 구매력이 가장 큰 집단이다. 그런데 역설적이게도 베트남에서는 이 30~40대들의 소비 형태가 시장의 확장을 더디게 만들고 있다. 그 이유를 그들의 유년 시절을 통해 살펴보고 베트남 소비 시장의 모습 예측해보려고 한다. 특히 30대와 40대 이상 연령층을 중심으로 그간 베트남 화장품 시장이 더디게 성장할 수밖에 없었던 이유를 각 소비 연령대가 처했던 상황에 따라 정리해보았다.

베트남의 1970년대생은 한국의 6.25세대이다

미국과의 전쟁은 1975년에 끝이 났지만 1975년부터 1977년까지 캄보디아와의 전쟁이 이어졌다. 베트남이 일방적인 승리한 전쟁이었지만 경제 발전은 더딜 수밖에 없었다. 캄보디아 전쟁에 대해 불만을 품은 중국이 1979년 베트남을 침공해왔다. 중국의 정예 부대 30만 명이 넘어왔지만 베트남 북부 국경 지대의 예비 병력과 민병대에 의해 한 달 만에 철수함으로써 전쟁은 끝이 났다. 베트남은 1970년대가 끝이 날 때까지 전쟁을 겪은 것이다.

전쟁이 끝나고 10개년 국가 계획 성장 전략에 따라 전쟁 직후 토지와 생산수단의 국유화와 배급제가 실시되었다. 미국의 경제 제재 속에 생산수단의 국유화와 배급제는 생산력을 떨어뜨려 인민들은 절대 빈곤에 시달렸고 쌀이 부족해 해마다 쌀을 수입해야만 했다.

이 때문에 베트남의 1970년대생들은 한국의 6.25세대들과 동일

중공군 포로를 감시하는 베트남 여성 민병대의 모습이 인상적이다.

한 정서를 지니고 있다. 우리나라에도 자산이 꽤 많은데 어렸을 때 기억 때문에 전기도 아껴 쓰고 이면지를 철저하게 사용하는 분들이 여전히 많다. 돈이 없어서가 아니라 어렸을 때의 힘든 기억 때문에 아껴 쓰는 것이 당연한 한 것이다. 어느 사회에서나 30대 중반에서 40대 중반들이 사회 핵심 소비 계층이다. 그런데 베트남에서는 과거 10여 년 동안 이 전쟁을 겪은 1960~1970년대생들이 베트남에서 주요 소비 층을 형성하다 보니 소비력이 적을 수밖에 없어 그간 소비재 시장이 더디게 성장할 수밖에 없었던 것이다.

이와 관련된 개인적인 일화가 하나 있다. 2013년 필자는 아침마다 회사 건물 지하에서 베트남 돈으로 5만 동(한화 약 2,500원가량)하는 쌀국수를 먹었다. 그런데 평소 절친하게 지내던 옆자리 마케팅 매니저가 "너는 비싼 쌀국수를 먹는다"며 타박했다. "길거리에서 먹으면 한국 돈으로 1,000원에서 1,300원이면 먹을 수 있다"면서 말이다. 그래서 내가 한국에서 쌀국수 한 그릇이 1만 원이 넘는데

베트남 40대들은 한국의 6.25를 겪은 70대들과 같은 경험을 겪었다.

2,500원이면 정말 싸게 먹는 것이라고 항변했지만 "넌 너무 사치스럽다"는 핀잔만 돌아올 뿐이었다. 마치 한 줄에 1,000원짜리 길거리 김밥을 먹어야지 3,000원짜리 브랜드 김밥을 먹는다고 6.25 세대 어르신한테 혼나는 것과 비슷하다고나 할까?

그 매니저와의 또 다른 일화가 있다. 한국에서 바질씨나 치아씨드를 물에 불려 먹으면서 다이어트하는 것이 유행일 때였다. 필자도 다이어트를 해보겠다며 베트남에서 흔하디흔한 바질씨를 물에 불려 아침마다 먹고 있었다. 그러자 또 옆자리의 매니저가 "저거 내가 어렸을 때 먹을 것이 없어 먹었던 것인데……'라고 한다. 또래의 누군가에게는 다이어트를 위해 영양가 없이 위장을 채우는 것이 또래의 다른 누군가에게는 어린 시절 먹을 것이 없어 주린 배를 채우기 위해 먹었던 것이다. 그 매니저가 1977년생이었다. 싱가포르로 유학을 갔다가 왔고 미국도 종종 다녀오는 일반 노동자의 10배가 넘는 급여를 받는 베트남의 중상층이었다. 어렸을 때 먹을 것이 없어 칡뿌리를 캐먹고 꿀꿀이죽을 먹었다는 우리 6.25세대들의 이야기와 많이 닮아 있다. 돈이 꼭 없어서가 아니라 어린 시절의 경험이 소비 성향을 결정지은 것이다.

베트남의 1960년생에서 1970년생들은 유년시절 전쟁을 겪었고 식량이 부족해 먹을 것을 걱정했던 사람들이니 충분한 돈을 가지고 있어도 함부로 쓰지 않는다. 물론 스마트폰이나 오토바이처럼 자신을 과시할 수 있고 필요한 물건에 대해서는 돈을 아끼지 않는다. 하지만 기본적으로 어린 시절부터 절약하는 것이 당연한 사람들에게는 화장품과 같은 사치 품목을 함부로 사용하지 않는 것이 당연하다.

주요 소비층인 40대들이 소비를 적극 해주어야 소비재 시장이 커진다. 그런데 이들이 자산을 불릴 수 있는 미국 달러, 금, 부동산 투자에 집중하다 보니 베트남 소비재 시장이 더디게 성장할 수밖에 없었다. 지난 10년간 단순하게 서브 프라임 모기지 사태에 따른 글로벌 경제 위기 때문이 아니라 근본적으로 베트남 소비재 시장이 부진할 수밖에 없었던 것이다.

(단위: 만 톤)

650

517

198

| 1985 | 89 | 96 | 99 | 2005 | 09 | 14 |

-40(수입)

도이머이 정책 이후 베트남 쌀 생산량은 급격히 증가했다. (자료: 코트라, 베트남 식품조합)

베트남의 1980년대생은 한국의 1958년 개띠이다

1986년 12월 베트남 정부는 위로부터의 개혁 쇄신, 경제 개방을 요구하는 도이 머이 정책을 채택한다. 이윽고 1988년 베트남 정부는 농경지 자유화를 선언했다. 1988년 45만 톤의 쌀을 수입하던 베트남은 농경지 자유화를 선언한 지 1년 만인 1989년 100만 톤의 쌀을 수출하게 된다. 1995년에는 쌀 150만 톤을 수출하면서 세계 3대 쌀수출 국가가 된다. 지금은 태국과 더불어 세계 1~2위의 쌀수출 국가가 되었다.

이 변화의 소용돌이 시기에 태어난 베트남 1980년대생들은 전쟁을 겪지는 않았지만 유년 시절 생필품 부족에 시달렸다. 게다가 전쟁 직후 베이비부머들인 1980년대생들은 기본적으로 형제가 8~12명이다. 부족한 생필품을 수많은 형제들과 함께 써야 하는 상황이니 아껴 쓰고 나누어 쓰고 내 가족을 위해 내 것을 챙기는 것이 당연한 세대이다.

반면 중국에서는 1980년 1인 자녀 정책을 시행한다. 이 점이 베트남 시장과 중국 시장의 근본적인 차이점이다. 중국의 1980년대생들은 어렸을 때부터 엄마, 아빠, 외할머니, 외할아버지, 할머니, 할아버지로부터 용돈과 선물을 받아 재화가 풍족했고 집중적으로 교육 지원도 받을 수 있었다. 한국 기업들이 사드 사태가 터지기 전 지난 10년간 중국에서 꿀 빨던 시절이 바로 이 1980년대생들이 30대로서 주요 소비 계층이었던 시기이다.

베트남 30대인 1980년대생들은 40대인 1970년대생들보다는 개선된 환경에서 살았지만 수많은 형제들 틈바구니에서 부족하게 살아서 소비에 꼼꼼해질 수밖에 없다. 1980년대생들은 외국 기업들이 본격적으로 베트남에 진출한 2000년 초반에 외국 기업에서 직장생활을 한 세대이다. 외국인과 일하면서 갈등을 겪고 기존 가치관과 다른 외국 문물을 받아들이면서 기성세대와 갈등을 빚으며 혼란을 겪은 세대이기도 하다.

1970~1980년대생은 '나'보다는 '자녀 교육'에 집중한다

얼마 전까지 20대 초중반이면 결혼을 하는 베트남 조혼 문화는 베트남 소비재 시장의 확장을 억압해온 원인이기도 하다. 보통 두 명의 아이를 둔 가정이 대부분인 1970년대 후반에서 1980년대생들은 어린 시절의 가난함 때문에 돈은 아껴 쓰지만 개방화의 한 중심에 서 있으면서 베트남 경제에 대한 장밋빛 전망에 자식은 훌륭

한 달 수업료가 공장 노동자 월급의 절반에 해당하지만 학원은 학생들로 성황이다.

하게 키워야 한다는 생각을 하게 된다. 그래서 베트남 30대 가정들은 소득의 30%를 자식 교육에 쏟아붓는다. 앞서 베트남의 교육열에 대해 설명했으니 더 이상은 과한 언급이겠다. 2019년 기준 베트남 최저 임금이 23만 원선이니 화장품과 같은 사치 품목 시장이 당장 커지기는 어려울 수밖에 없는 상황이다. 베트남 30대 중반인 1980년대생들은 베트남 소비재 시장에서 가장 큰 소비 주체이면서도 물건이 귀한지 아는 세대이기도 하다. 그래서 베트남 소비재 시장이 커질 듯 안 커지고 있다.

그런데 그다음 세대이자 1970년대생들의 자녀들인 1990년대생들부터는 베트남 시장 전망이 급격히 밝아진다.

8

소비자 연령별 분석 2
-Z세대 1990년대생

스마트폰을 들고 그랩을 타는 글로벌 세대이다

베트남에 진출하는 많은 한국 분들이 타임머신을 타고 30년 전한국에서 잘되었던 것을 고스란히 갖다가 베트남에 투자를 하거나 사업을 하면 성공할 것으로 쉽게 생각한다. 꼭 틀린 말은 아니지만 그렇게 했다가는 십중팔구는 실패한다. 방금까지 설명한 베트남의 1970~1980년대생 소비자들의 특성이 한국의 1950~1960년대생들의 모습이니 타임머신을 타고 가면 될 듯하다. 하지만 베트남소비자들은 트렌드에 민감하고 2011년에 이미 무료 와이파이 천국이었다는 것을 명심하기 바란다. 베트남 시장은 모자이크 같은 시장이라 30년 전의 한국 모습도 10년 전의 한국 모습도 그리고 지금의한국 모습도 모두 뒤섞여 있는 곳이기 때문이다.

게다가 지금부터 소개할 베트남의 1990~2000년대생들은 시간을 건너 뛰어버리는 세대이다. 시장을 바라보는 판단을 조심해야 할 것이다.

1990년대생들이 한류를 만들었다

1991년 미국은 단계적으로 베트남 경제 제재를 완화하고 1994년에는 제재를 전면 해제한다. 결국 1995년 베트남-미국은 국교를 맺으며 전쟁을 했던 과거를 뒤로하고 동반자의 길을 걷게 되었다.

이런 대변혁의 시기에 태어난 1990년대생들은 전쟁을 겪은 부모 세대와 달리 본격적으로 밀려드는 외국 상품과 넘쳐나는 식량으로 베트남 근현대사에서 처음으로 먹을 것을 걱정하지 않아도 되는 세대가 되었다. 형제자매는 한두 명이고 부모들의 전폭적인 지원으로 공부에 열중하며 외국기업에 들어가기 위해 외국어를 공부하고

K-팝을 좋아하는 베트남 1990~2000년대생들은 부모 세대와는 확연히 다른 새로운 세대이다.

홍콩, 한국 드라마를 보고 자라 외국 문화에 익숙한 세대이다. 특히 1998년에 대우를 필두로 한국 기업들의 베트남 투자와 함께 밀려든 한국 드라마와 K-팝을 좋아하기 시작했다. 중국과 더불어 '한류'를 만들어낸 세대가 바로 베트남의 1990년대생들이다.

현재 20대 중후반으로 대학을 막 졸업하고 직장을 다니면서 본격적으로 소비를 하고 있다. 2000년대 초반까지만 해도 여자 나이 25세면 노처녀라는 베트남 사회의 인식을 거부하고 자기계발과 커리어 쌓기에 집중하는 세대이다. 또한 2014년 베트남 저가항공사의 급성장으로 싱가포르, 태국, 말레이시아 등 무비자로 방문할 수 있는 아세안 경제 성장 국가들로 여행을 다니면서 글로벌화된 세대이다. 인류의 크나큰 변화를 가져다준 스마트폰을 20대 초반에 손에 쥔 세대이자 페이스북에서 당당하고 자유롭게 자신의 의사를 밝히고 외국어 습득으로 해외 정세에 밝기도 한 세대이다.

중국과 달리 유연한 사고를 지닌 베트남 정부와 아세안 최고의 인터넷과 모바일 환경이 베트남 1990년대생들을 글로벌 시민의 읠 원으로 만들어내는 데 큰 역할을 했다. 그들은 화장하는 것을 당연하게 여기고 선크림과 립스틱은 당연히 자신의 가방 속에 넣고 다니는 베트남 소비재의 잠재적 큰손이다. 직장에서 중간 관리자가 되고 급여도 상승하는 5~10년 차가 되는 2020년대 베트남 소비재 시장의 주인공들이자 여론 형성층이기도 하다. 전쟁과 먹을 것을 걱정하던 1970~1980년대생들의 세상을 훌쩍 뛰어 넘어버린 세대이다.

우버와 그랩을 대중교통으로 사용한다

베트남 호치민이나 하노이와 같은 대도시를 방문하면 평생 볼 오 토바이를 단 하루 만에 보게 된다. 베트남에는 아직 지하철이 없고 시내버스도 노선이 몇 개 없다. 2019년 호치민 인민위원회 보고자 료에 따르면 베트남 최대 도시 호치민에서 대중교통은 호치민 시 민 9.2%만이 이동 수요를 충족하고 있다고 한다. 이 부족한 대중교 통을 우버와 그랩이 보완해주고 있으며 의도치 않게 베트남 화장품 시장의 발전을 한층 앞당기고 있다.

베트남의 여러 더디게 발전하는 소비재 시장 중에서 특히 화장품 시장은 동남아시아 주요 6개국 중에서 가장 작은 규모이다(순수 스 킨케어+메이크업 시장 기준). 이는 단순하게 소득 수준이 낮아서가 아 니다. 베트남에서 화장품 시장이 발전할 수 없었던 것은 일상 교통

베트남 호치민 시내. 베트남의 일상 교통수단도 오토바이다.

베트남 호치민의 그랩. 외국계 기업이나 대기업에 다니는 젊은 세대들은 오토바이 대신 편하게 그랩을 통해 차량 출퇴근을 하는 다양한 변화가 벌어지고 있다. (출처: Vietnam investment review)

수단으로 오토바이를 타고 다닐 수밖에 없다 보니 더워서 땀이 나고 얼굴에 매연이 묻어 메이크업하고 다니기가 불편했기 때문이다. 게다가 호치민을 중심으로 하는 남부 지방은 1년 중 절반이 우기이다 보니 비 맞으며 오토바이를 타야 하기 때문에 화장을 하기는 더욱 불편하다. 그런데 우버나 그랩을 통해 에어컨 나오고 비가 쏟아져도 걱정 없는 승용차를 타고 다니다 보니 메이크업을 할 여력이 생긴 것이다.

한참 직장 다니고 있고 아껴 쓰기보다는 자신을 위해 소비할 줄 아는 20대들이다 보니 화장품 시장은 날로 성장할 수밖에 없다. 소득 수준은 계속해서 올라가고 결혼은 점점 늦게 하며 자기 자신을 위한 씀씀이를 아까워하지 않는다. 시간이 지날수록 베트남 소비재 시장에서 1990년생들의 영향력과 비중은 더욱 커질 것이다. 2018년 소프트뱅크의 손정의 회장의 교통 정리로 우버가 동남아시아 사

업을 포기하기 전까지 그랩과 치열한 경쟁을 하느라 택시비의 30%
수준에 불과한 할인 프로모션을 했다. 그때 젊은 세대들의 이용률이
급격히 늘었다. 사람이 업그레이드하기는 쉬워도 다운그레이드하
기는 어렵다. 외국계 기업이나 대기업에 다니는 젊은 세대들은 오토
바이 대신 편하게 그랩을 통해 차량 출퇴근을 하는 다양한 변화가
벌어지고 있다.

모바일 배달을 애용한다

베트남에는 10여 개의 크고 작은 배달 서비스 기업들이 치열하
게 경쟁을 하고 있다. 한국 돈으로 1,500원짜리 버블티 한 개도 15
분 내에 배달이 되는 진정한 배달의 천국이다. 방콕, 쿠알라룸푸르,
자카르타, 마닐라 등 동남아시아 주요 국가들의 대도시의 소비 형
태는 몰링Malling이다. 화교가 모든 경제를 장악한 다른 동남아시아
국가들에서는 쇼핑몰에서 모든 것이 해결이 되는데 베트남에서는
몰이 형성되지 못한 대신 로드숍에서 음식, 화장품, 식료품 등등 모
든 것이 배달된다. 베트남 정부가 잘 깔아놓은 인터넷 환경과 새로
운 것을 빨리 받아들여 스마트폰 사용률이 높은 이유 등 다양한 것
이 결합되어 모바일을 이용한 배달 문화를 가장 애용하는 사람들이
베트남의 20대들이다.

베트남 1위 음식 배달앱인 푸디(Now.vn)를 통해 음식을 배달받고 있다.

2K 세대! 2000년대생은 글로벌 교육을 받은 에코 세대이다

베트남에서는 2000년대에 태어난 세대를 1,000을 뜻하는 K를 붙여 2K 세대**2K Generation**라고 부른다. 2K 세대들은 베이비부머인 1970년대 후반과 1980년대생들의 자녀로 에코 세대이기도 하다

베트남의 이 에코 세대는 여느 국가의 2000년생들과 다를 바 없는 삶을 살고 있다. 어린 시절부터 인터넷을 자유롭게 사용하고 PC보다는 모바일이 익숙한 모바일 퍼스트 세대이다. 이들에게는 베트남에 이미 진출한 다양한 해외 기업과 외국 문물이 친숙하고 당연한 일상의 모습들이다. 전쟁을 겪고 먹을 것을 걱정하던 자신들의 부모와 이모 세대들과는 확연히 다르다. 교육열이 높은 부모들 덕

에 어지간한 공장 노동자 월급의 50% 해당하는 학원비를 내고 영어 공부를 하고 있다. 상류층들은 베트남 내 국제학교에 애들을 보내거나 영국, 호주, 싱가포르로 유학을 보낸다.

넘쳐나는 물자와 안정적인 환율과 물가 속에서 글로벌 문화를 접하며 베트남 전성기 속에 어린 시절을 보내고 있는 세대들이 바로 이 에코 세대인 2K 세대들이다.

대중교통이 확충되면 큰 변화가 시작될 것이다

이러한 10대 후반들이 사회 초년생이 되어 구매력이 커지는 2020년대부터는 베트남 소비재 시장이 급격히 팽창할 수밖에 없는 구조이다. 그런데 이 구조 속에 소비재 시장, 특히 화장품 시장 팽창 속도를 '급격히' 증가시켜줄 부스터가 바로 호치민과 하노이에 건설되고 있는 전철이다.

인근 다른 아세안 국가들의 수도인 방콕, 마닐라, 쿠알라룸푸르는 지하철과 쇼핑몰이 잘 연결되어 있어 쇼핑하는 데 최적의 환경을 갖추고 있다. 하지만 베트남에는 지하철은커녕 시내버스도 잘 갖추어져 있지 않아 대부분 오토바이를 타고 다닌다. 열악한 대중교통 인프라와 화장품 시장이 무슨 관계인가 싶겠지만 둘 사이에는 매우 밀접한 관련이 있다. 베트남 호치민에만 500만 대의 오토바이가 다니고 있어 매연과 더위 때문에 화장품을 사용할 겨를이 없다. 게다가 남부 호치민은 1년의 절반은 우기로 빗줄기가 세차게 쏟아져 오토바이 타고 다니는 베트남 여성들이 화장하기에는 참으로 열악한

(위) 하노이에 들어설 전철이 건설 중이다. (아래) 전철 역사 이미지

상황이다.

베트남에서는 '오토바이 닌자'라고 부르는 말이 있는데 햇볕에 노출되기 싫어 마스크, 선글라스, 모자, 후드티까지 갖추어 입은 여성들을 일컫는다. 선크림을 바르면 되지 않느냐고 하는데 덥고 습하고 얼굴에 달라붙는 먼지 때문에 화장할 엄두가 안 난다. 무엇보다도 1년에 절반은 쏟아지는 비 때문에 더더욱이나 화장할 엄두가 안 난다.

햇빛을 피하기 위해 온몸을 감싼 베트남 여성들. 베트남에서는 닌자라고 부른다.

그런 베트남의 호치민과 하노이 남북 대도시에 전철과 지하철 공사가 한창이다. 우기의 세찬 빗줄기도, 덥고 습한 기후도, 매캐한 매연 때문에 뒤집어써야 하는 마스크도 전철을 타고 다니면 다 해결이 된다. 화장하고 출퇴근을 하고 시내도 돌아다닐 수 있는 여건이 형성되고 있다는 것이다.

게다가 2020년 이후에 개통될 호치민 1호선 구간이 공단 지역까지 연결된다. 최저 임금을 받지만 젊은 20대 근로자들이 화장품을 바르기 시작할 수 있는 여건이 조성되는 것이다. 전철뿐만 아니라 베트남 정부는 대기 오염 문제를 개선하기 위해 꾸준히 천연 가스 버스를 도입하고 버스 노선도를 개선 신설하고 있다. 외국인 투자자 입장에서는 느릿느릿하게 움직이는 것처럼 보이지만 베트남 정부는 꾸준히 진행하고 있다.

이러한 대중교통 인프라 구축이 완성되면 화장품뿐만 아니라 패션 산업도 큰 변화가 있을 것이다. 오토바이를 타고 다녔을 때 입고 다녔던 옷차림과 대중교통을 타고 다니면서 입게 될 옷차림도 확연하게 달라질 것이기 때문이다. 시장이 폭발적으로 성장할 수 있는

1년 중 절반은 우기이다. 그러다 보니 쏟아지는 빗줄기에
화장할 엄두를 내지 못한다.

사회 환경 속에 개인을 중시 여기며 해외 문물에 익숙하고 기존의
세대와는 확연히 다른 2K 세대가 2020년부터는 해마다 100만 명
씩 성인이 된다. 왜 베트남 시장인가에 대한 답이다.

9

한류는 있지만 한류는 없다

　많은 분들이 "박항서 감독 덕분에 베트남에서 살 만하냐?"고 묻는다. 언론에서도 박항서 감독 신드롬 때문에 물건이 잘 팔린다고 보도한다. 베트남에서 살며 일하는 사람들 입장에서는 당황스러운 말들이다. 베트남에서 박항서 감독이 축구 영웅일 뿐만 아니라 국민적 지도자로 추앙받는 것은 사실이다. 박항서 감독을 홍보 모델로 내세운 기업체와 제품들의 이미지가 좋아지고 매출에 긍정적인 영향을 미치는 것도 당연하다. 하지만 박항서 감독 때문에 한국인과 한국에 대한 이미지가 갑자기 좋아진 것은 아니다. 그런데 개중에는 박항서 감독 때문에 무조건 한국 제품 열풍이 불고 있다며 말도 안 되는 투자를 현혹하는 사람들이 있다.

베트남은 1990년대 말 동남아 한류 발상지이다

베트남은 중국과 더불어 1990년대 말에 한류가 시작된 동남아 한류 발상지로서 오래전부터 한국에 대한 이미지가 좋았다. 그런데 베트남에 사업 진출하는 적지 않은 분들이 한국을 좋아하는 개발도상국가이니 메이드 인 코리아Made In Korea이기만 하면 돈을 벌 수 있다고 하는 안일한 생각을 많이 한다.

베트남에서 한국 제품을 좋아하는 것은 맞지만 그렇다고 해서 꼭 그 제품을 사는 것은 아니다. 베트남에서뿐만 아니라 다른 동남아 시장에서도 비슷한 양상을 보이고 있는데 '메이드 인 코리아'는 의심할 필요가 없는 수준의 품질, 즉 '나쁘지 않은 제품' 정도이지 꼭 사야 하는 제품은 아니다. 특히 동남아 국가에서 상류 사회는 우리가 생각하는 부자 이상의 수준이다. 대부분 오랜 유럽 식민지의 영향으로 유럽 제품을 가장 선호한다. 그들에게 한국 제품은 나쁘지 않다고는 하는데 자기와는 무관한 제품 정도이다.

중하층 소비자들에게 한국 제품은 확실히 인기가 있다. 가격이 합리적이고 품질이 좋기 때문이다. 바꾸어 말하면 일본, 미국, 유럽 제품보다는 싸다는 뜻이다. 이들의 소득 수준이 올라가서 중상층 이상이 되면 일본 제품을 선호하고 상류층들은 유럽과 미국 제품을 선호한다.

지금 중국 시장이 그러하다. 중하층들이 처음으로 해외 나들이 갈 수 있는 수준이 되자 한국으로 왔고 한국 제품을 싹쓸이했다. 그러다 소득 수준이 높아져 중상층이 되자 일본으로 여행을 가고 일본 제품을 싹쓸이하고 있다. 사드 사태는 발단이었을 뿐이지 중

우리 입장에서는 우리나라 제품의 해외 수출 통로 역할을 해주니 고맙지
만 중국 입장에서 자국 산업 파괴자인 것이다. (출처: 롯데마트)

국에서의 한국 제품 하락세는 예견된 일이었다. 지금 잘 팔리는 일
본 제품들도 5년이 지나면 유럽 제품에 밀려날 것이다. 그나마 중
하층들이 사던 한국 제품들은 중국 로컬 브랜드한테 자리를 내줄
것이다.

한국 기업이자 현지 국적의 기업이 되어라

한국 기업들이 오래전부터 해외 진출을 해왔다고는 하나 건설, 토목, B2B 무역업, 해외 생산 기지로서 공장 운영 정도의 경험을 쌓아왔지 본격적으로 현지 소비자들을 대상으로 한 B2C 사업을 해본 것은 10여 년에 불과하다. 누군가가 그랬다. "글로벌 시장에 진출한 유통, 소비재 기업이라면 현지 소비자에게 현지 기업으로 오인되게 하거나 그들의 마음을 완전히 사로잡아야만 한다." 유통업과 소비재 산업은 소비자의 감성을 매만지고 건드려야 하는 영역이기 때문에 단순하게 기능이 좋고 편리하고 싸고 맛있다는 이유만으로 팔리지는 않는다.

롯데마트나 이마트가 중국에 진출하면서 중국 기업처럼 보이려고 노력했을 리는 없다. 오히려 한류 열풍에 힘입어 한국 전용 상품관을 설치하고 한국 중소기업 제품들을 소싱했다고 대대적으로 홍보했으니까 말이다. 우리나라 입장에서는 우리나라 유통업체가 중국에서 우리 중소기업 제품들의 해외 판로를 개척해준 고마운 존재이고 사회적 책임을 다한 회사이다. 하지만 중국 입장에서는 기반이 튼튼하지 못한 자국 산업을 파괴하는 존재로밖에 보이지 않았을 것이다. '한국 중소기업 제품을 중국 롯데마트에 진출시키는 데 지대한 공헌을 쌓았다.' 이런 것보다는 '중국의 우수한 브랜드를 한국 롯데마트를 통해 수출했다.'라는 말이 현지 언론에서 나오게 했다면 어땠을까? 자국의 돈을 빨아들이는 외국 기업이 아니라 자기네 산업에 도움을 주는 기업이라는 이미지를 심어줬다면 롯데마트가 공공의 적이 되어 퇴출되지는 않았을 것이다.

이스라엘 국민차 대접을 받았던 스바루. 그러다 보니 아랍국가들의 보이콧을 당했다.

1997년 외국 기업들이 떠날 때 오히려 대우는 베트남에 진출했고 기업이 없어진 지금도 사랑받는 브랜드로 남아 있다.

　　현지인들을 사로잡을 드라마틱한 사회공헌 활동을 했거나 현지 직원들이 정말 최고의 회사라고 생각할 만한 인력 운영을 해온 것도 아니다. 말이 쉽지 이익 창출이 우선인 기업에게 그런 것을 요구하는 건 사실 어렵고 불가능해 보이는 일이다. 그래서 인식의 전환이 필요한 시점이다.

이스라엘에서 유년 시절을 보낸 지인의 경험담이다. 이스라엘과 중동 국가들과의 전쟁이 벌어졌을 때 모든 글로벌 주재원들에게 철수 명령이 내려졌고 모두 급히 떠났다. 그런데 일본 자동차 브랜드 스바루SUBARU 주재원은 끝까지 자기 사업장을 지켰다고 한다. 전쟁이 끝나고 이스라엘 사람들은 자신들을 저버린 글로벌 브랜드들에 등을 돌렸다. 반면 그동안 무명 브랜드였던 스바루는 시장 점유율 60%까지 끌어올리며 국민 브랜드가 되었다고 한다. 심지어는 끝까지 이스라엘에 남아 있던 주재원이 타고 다니던 차량 모델은 오랫동안 품절 상태가 되었단다.

그 비슷한 한국 기업의 사례는 베트남 하노이에서도 찾아볼 수 있다. 대우가 베트남에 진출한 1990년 말 IMF가 터지고 모든 외국 기업들이 베트남 시장을 단념하고 철수할 때도 끝까지 남아서 하노이 투자를 아끼지 않았다. 그러다 보니 대우는 지금도 하노이 사람의 기억 속에 국민 기업 못지않은 이미지로 남아 있다. 그래서인지 호치민에서는 잘 찾아보기 어려운 GM대우가 하노이에서는 쉽게 찾아볼 수 있다. 하노이에 있는 대우 호텔은 낡고 오래되었지만 베트남 사람들에게 상징적인 곳이다. 그래서 롯데호텔이 인수하려던 것을 베트남 현지 기업이 인수하게 했다.

아모레퍼시픽 태국 법인장은 2011년 태국 대홍수 때 일시 철수하라는 회사 지침에 아랑곳하지 않고 방콕에 남았던 일화도 있다. 다른 외국인 주재원들은 탈출 러시인데 매장을 돌아다니며 직원들을 격려해주니 현지 직원들이 싫어할 리가 있겠는가. 경쟁사 글로

2011년 태국 대홍수. 국토의 3분의 1이 침수됐고 270명이 사망했다.

벌 브랜드 보스들은 모두 도망갔다. 그런데 현지 직원들을 통해 아모레퍼시픽의 외국인 보스는 끝까지 남아 있었다는 이야기가 고객들에게 알려졌다. 태국에서 설화수 성공 사례는 괜히 나온 것이 아닌 것이다.

베트남뿐만 아니라 동남아 시장에 한류는 있지만 한류는 없다.
더 이상 해외 시장에서 한류팔이로 사업을 하려고 하면 무조건 실
패하게 될 것이다.

3장

베트남 주변
동남아시아 정세

인트로

한국에서 베트남 시장에 대한 관심이 많지만 베트남 주변 국가들에 대한 정세는 잘 모르기도 하고 관심도 없다. 한국인이 가장 많이 가보았다는 태국과 싱가포르라지만 관광지로서의 상황은 알지만 그 주변 국가들의 정치적, 외교적 상황에 대해 알 리가 없다. 베트남 시장에 진출하고자 한다면 베트남 상황뿐만 아니라 동남아시아 국가들의 상황에 대해서도 알고 있어야 한다. 특히 중국의 일대일로 정책으로 메콩강 유역에서 치열한 주도권 다툼이 벌어지고 있다.

베트남의 동해(중국의 남중국해) 일대에서는 베트남-중국 - 필리핀 - 대만 간의 영유권 싸움이 한창이다. 베트남은 중국을 견제하기 위해 미국과 손을 잡고 있다. 급변하는 세계 정세의 한 중심에 베트남이 있다. 또한 베트남이 북한의 개방 정책의 롤 모델로 등장하면서 우리 민족에게는 더욱 관심을 가져야 하는 나라이다. 간략하게나마 베트남을 둘러싼 동남아시아 정세를 살펴보자.

1

동남아시아의 화약고 메콩강

베트남은 줄타기의 달인이다

2018년 3월 베트남-미국과의 새로운 관계를 상징적으로 보여주는 것이자 동남아시아 역학 관계를 뒤흔든 일대 사건이 벌어졌다. 베트남은 미국과 전쟁 때 치열한 격전지였던 베트남 중부 다낭에 미국 항공모함 입항을 허락했다. 중국과 치열하게 영토 분쟁 중인 호앙사 군도(국제명 파라셀 군도, 중국명 시사 군도) 가까운 곳에 중국 보란 듯이 미국 항공모함을 정박시킨 것이다. 미국 항공모함이 움직이면 호위하는 구축함과 순양함이 5~7대에 핵잠수함이 2대가 따라붙어 어지간한 나라를 초토화시킬 수 있는 군사력이 함께 따라다닌다. 중국 입장에서는 동남아시아 군사 최강국이자 가장 껄끄러운 관계인 베트남이 세계 최강 군사 대국 미국과 손잡은 것이라 여간 불편한 것이 아니다.

이런 베트남과 중국과의 관계에 대해 같은 사회주의 국가이자 미

베트남 다낭에 입항한 미해군 칼빈슨 항공모함과 환영식

국과의 전쟁 때 동맹관계였는데 왜 서로 사이가 좋지 않다는 것인지 모르겠다며 의아해하는 분들이 많다. 베트남과 중국은 3,000년이 넘는 앙숙 관계이다. 베트남은 중국으로부터 1,000년간 지배를 받아왔다. 베트남은 미국과 전쟁 중에도 구소련과 친하게 지내며 중국을 견제해온 데에는 이런 역사적인 배경이 있다. 베트남은 미국과의 전쟁이 끝나자마자 캄보디아를 공격해 캄보디아 국민들과 베트남 교민들을 학살하던 친중 정권인 폴포트 정부를 무너뜨렸다. 이에 반발한 중국이 1979년 베트남을 침략했다. 30만 명의 정예 중공군이 공격을 퍼부었다. 그러나 베트남 북부 예비 병력과 국경 수비대가 이를 물리쳐 45일 만에 중국의 패배로 끝났다. 중국으로서는 치욕의 역사이다.

베트남 정부는 이웃한 대국인 중국과 불편한 관계에 있어봐야 좋을 것이 없다는 현실적이고 합리적인 판단을 하고는 전쟁이 끝난 지 3개월 만에 먼저 화해의 손길을 내밀고 경제 협력을 재개했다. 상대방의 체면은 세워주면서 실리를 챙기는 참으로 유연하고 합리적인 나라가 아닐 수 없다

베트남은 중국과 좋은 관계를 유지하면서 항상 경계를 하고 있는 줄타기의 달인이다. 그런 베트남도 중국의 일대일로를 통한 제국주의 야욕과 끊임없는 영토 분쟁 도발로 인내심의 한계에 다다른 것이 아닌가 싶다. 베트남이 실질 지배하고 있는 호앙사 군도와 쯩사 군도에 대한 노골적인 분쟁은 전국적인 반중 시위를 불러일으켰다. 중국 국적의 공장과 회사가 불타고 중국인 노동자 세 명이 죽는 불상사가 벌어지기도 했다. 모태반중(태어날 때부터 중국을 싫어하는 베트남 사람들)의 뼛속 깊은 역사의식을 방증했다.

또한 중국은 베트남이 정치 경제적으로 막강한 영향력을 행사하고 있는 캄보디아와 라오스에 메콩강 유역 개발 지원을 명분으로 영향력을 행사하기 시작해 자극하고 있다.

제3차 세계대전은 메콩강에서 발발한다

메콩강은 4,180킬로미터에 달하는 세계에서 12번째로 긴 강으로 중국 티베트에서 발원하여-미얀마-라오스-태국-캄보디아-베

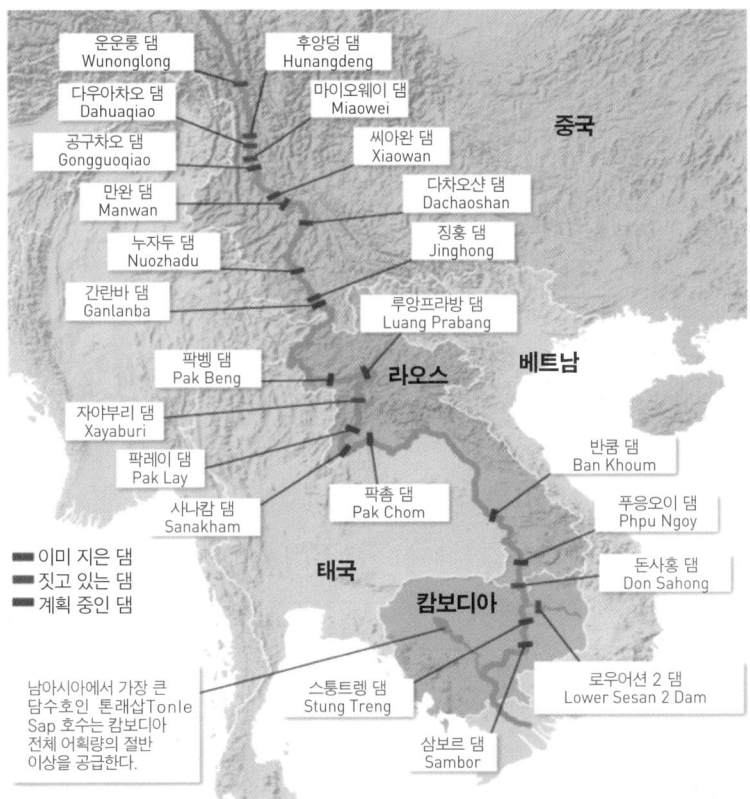

운운룽 댐
Wunonglong

후앙덩 댐
Hunangdeng

다우아차오 댐
Dahuaqiao

마이오웨이 댐
Miaowei

공구차오 댐
Gongguoqiao

씨아완 댐
Xiaowan

만완 댐
Manwan

다차오샨 댐
Dachaoshan

누자두 댐
Nuozhadu

징훙 댐
Jinghong

간란바 댐
Ganlanba

루앙프라방 댐
Luang Prabang

중국

베트남

팍벵 댐
Pak Beng

라오스

자야부리 댐
Xayaburi

반쿰 댐
Ban Khoum

팍레이 댐
Pak Lay

푸응오이 댐
Phpu Ngoy

사나캄 댐
Sanakham

팍촘 댐
Pak Chom

돈사홍 댐
Don Sahong

■ 이미 지은 댐
■ 짓고 있는 댐
■ 계획 중인 댐

태국

캄보디아

남아시아에서 가장 큰
담수호인 톤래삽Tonle
Sap 호수는 캄보디아
전체 어획량의 절반
이상을 공급한다.

스퉁트렝 댐
Stung Treng

로우어션 2 댐
Lower Sesan 2 Dam

삼보르 댐
Sambor

(출처 : https://asia.nikkei.com)

트남까지 6개국을 거쳐 흐르는 강이다. 이 메콩강 유역에 6,500만 명이나 되는 인구가 살면서 직접적인 경제 활동을 하고 있다. 어려운 경제 형편에 전력 사정이 나쁜 미얀마, 라오스, 캄보디아에 중국이 저금리로 돈을 빌려주어 수력 발전소를 지어주겠다며 지은 댐이 11개이다. 앞으로 2030년까지 30개에서 최대 70개까지 댐이 추가로 건설될 예정이다.

메콩강은 생물 다양성으로는 세계 2위이고 담수 어업량 세계 1위

메콩강 수위가 낮아져 움직이지 못하는 태국 치앙라이 화물선과 이에 반대하는 치앙라이 시민 운동가들 (출처 : www.chiangraitimes.com)

를 자랑하는 인도차이나 반도 생명의 원천이다. 그런데 수력 발전을 위한 댐을 건설하면서 태국, 캄보디아, 베트남과 같은 강 하류에 위치한 국가들의 메콩강 유입량이 급격하게 줄어들고 있다

태국 북부의 치앙라이에서는 2미터 이상 급격히 낮아진 강 수위 때문에 메콩강에서 중국을 오고 가는 화물선들이 좌초되었고 건기

댐 건설에 따른 어획량 변화 (단위 천 톤)

	현재 연간 어획량	6개 댐 건설 시 어획량	11개 댐 건설 시 어획량
라오스	240	185	175
태국	920	860	860
캄보디아	770	570	340
베트남	370	285	200

메콩강 상류에 댐이 6개 또는 11개 더 늘어나게 되면 메콩강의 하류인 캄보디아와 베트남의 어획량이 급격히 감소할 것이라는 것을 도표화한 시뮬레이션 결과이다.

동안 운항을 못했다. 중국이 우기인 6월에서 10월까지는 댐 방류 일정을 공유해주고 있는데 그 외 기간에는 일정을 공유해주지 않아 치앙라이 사람들의 생계에 막대한 타격을 입고 있다. 계속된 댐 건설과 그로 인해 줄어든 유입량 때문에 캄보디아와 베트남의 어업량은 해마다 급격히 줄어들고 있다. 중국은 명목상으로는 자국의 전력량 확보와 저개발국가 라오스, 캄보디아, 미얀마를 돕기 위함이라고 한다. 하지만 이미 중국 운남성 지역 전력량은 남아돌고 있으며 라오스와 캄보디아를 위해 지은 수력 발전소에서 나오는 전력은 태국과 베트남에서 구매해가고 있다.

위의 도표를 보아도 알겠지만 댐 숫자가 늘어날 때마다 캄보디아와 베트남 어업량이 반토막이 나는 극심한 피해를 입고 있다. 중국의 댐 건설 지원은 동남아시아 국가들 간의 갈등을 부추기고 있다. 중국이 메콩강 수력 발전소로 인도차이나 반도 국가를 길들이기를 시작한 것이다. 중국의 영향력이 강해진 것을 우려한 일본은 메콩강 인프라 지원 사업을 중단했고 미국과 일본의 영향력이 강한 아

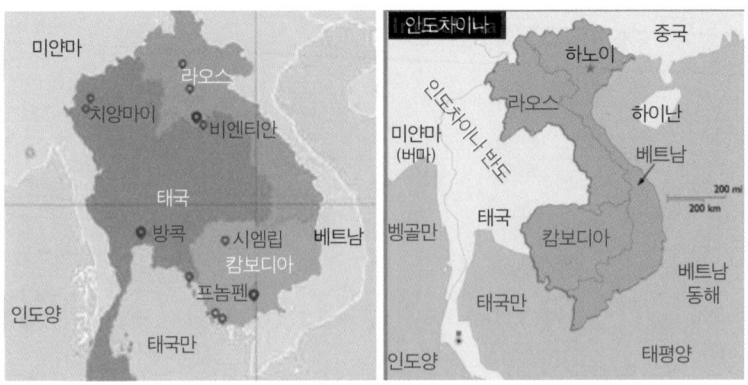

(왼쪽) 태국의 영향력일 때. (오른쪽) 베트남의 영향력일 때의 인도차이나 반도.

시아 개발은행 ACE 역시 메콩강 인프라 투자를 중단했다. 한국에서는 베트남의 위상을 잘 모르고 있지만 사실 베트남은 인도차이나 반도의 강대국이다. 라오스와 캄보디아 정권 자체가 베트남에 의해 설립이 되었고 지금도 그 영향력 아래에 있다. 캄보디아의 상징 앙코르와트 사원의 관리권 50% 이상을 베트남 기업이 가지고 있다. 캄보디아 국적기인 앙코르 에어의 지분 절반은 베트남 항공이 가지고 있다. 라오스와 캄보디아는 실질적인 베트남의 위성국가들이다.

반면 라오스와 캄보디아의 경제력은 태국에 의해 좌지우지되고 있다. 태국어와 라오스어는 거의 비슷해서 각자 나라 말로 이야기를 해도 서로 의사소통하는 데 지장이 없다. 태국에서 일하고 있는 캄보디아인 30만 명이다. 태국에서 캄보디아 노동자를 단속하기 시작하면 캄보디아 경제가 휘청인다. 이렇게 태국과 베트남에 의해 좌지우지되고 있던 라오스와 캄보디아에 중국의 영향력이 점점 짙어지면서 인도차이나 반도의 분위기가 심상치 않게 돌아가고 있다.

미국의 등에 올라타 중국을 견제한다

중국은 동남아시아에 유화 제스처를 보내는 척하고 있다. 메콩강의 발원지인 중국 란창강과 아세안에서 부르는 메콩강의 이름을 따서 란창-메콩강 협력 외교 장관 회의라는 것을 개최해서 겉으로는 메콩강 유역의 6개 국가 간의 협력을 도모하는 것처럼 보인다. 하지만 실질적으로 경제에 악영향을 받는 베트남과 캄보디아는 지속적으로 반발하고 있다.

중국과 영토 분쟁을 벌이는 베트남 동해의 쯩사 군도와 호앙 사 군도에 대한 동남아시아 정상들의 단결된 우려의 목소리가 더 이상 나오지 않고 있다. 중국 때문이다. 특히 라오스가 앞장서서 중국 편을 들고 있어 베트남의 심기를 매우 불편하게 하고 있다. 베트남은 분위기가 이렇게 심상치 않게 돌아가자 결국 미국의 손을 잡은 것으로 보인다. 물론 표면적으로는 중국과 원만한 관계를 유지하고 있다.

미국 입장에서는 중국을 견제해줄 카드로 인도를 점지해두고 20년이 넘게 지원을 해줬지만 밑빠진 독에 물붓기였다. 특히 최근 카슈미르 지역에서 파키스탄과 국경 전쟁을 벌이며 무력 충돌이 벌어졌을 때 인도의 공군기 2대나 격추당하고 조종사가 생포당하는 등 허약한 코끼리의 모습을 보여주었다. 이 와중에 동남아시아에서 미군이 마음껏 주둔하며 중국을 견제할 수 있게 해주었던 필리핀이 로드리고 두테르테 대통령이 취임 뒤부터는 미국을 멀리하고 중국과 친하게 지내고 있다. 미국으로서는 전략 부재에 시달리고 있었다. 이 와중에 미국 눈에 들어온 대상은 베트남이었다. 인구 1억 명

중국이 공들이는 란창-메콩강 장관 회의

의 뼛속 깊은 반중 국가인데가 무시할 수 없는 군사력을 지닌 베트남이 미국의 파트너로서 아주 적절했다.

현명하고 유연성 넘치는 줄타기의 달인 베트남이 일방적인 미국의 편을 들어줄 리는 없다. 베트남은 현재의 역학 관계를 잘 이용하면서 미국을 중국 견제용 조커로서만 활용할 것이다. 미국은 어떻게 해서든 베트남 경제를 돕고 베트남 군비 현대화를 도울 것이다. 실제로 중국과 영토 분쟁을 겪으면서 중국 해군으로부터 베트남 순시선이 파손되자 일본이 무상으로 현대식 순시선을 제공하기도 했다.

미-중 무역 전쟁 속에서 가장 이득을 보는 나라도 베트남이다. 중국에 진출했던 외국 기업들이 관세를 피하고자 베트남으로 생산 기지를 옮기는 것뿐만 아니라 중국 기업마저도 베트남으로 생산기지를 옮기고 있다. 미국과 중국이 무역 분쟁에 합의를 하다고 하더라도 언제든지 다시 발발할 수 있는 중대한 리스크이기 때문에 기업인들은 생산기지 이전을 할 수밖에 없다. 베트남 경제가 발전할 수밖에 없는 여러 이유들이 있다. 아이러니하게도 글로벌 위기와 메콩강의 위기가 베트남 부흥을 앞당기는 촉진제 역할을 하고 있다.

베트남은 동남아시아가 아니다

언어는 어떠한 대상을 한정 짓고 속박하게 하는 기능이 있다. 느닷없이 무슨 소리인가 하면 고등학교 국어 시간에 잠깐 배운 적들이 있을 텐데 종이에 '나무'라고 표기를 하면 사람들마다 떠올리는 나무의 모습은 각양각색이다. 단풍나무, 버들나무, 은행나무…… 등등. 그래서 언어는 표시인 '문자'와 본래 전달하고자 했던 그 '내용'의 차이가 존재할 수밖에 없다. 느닷없이 언어학 수업 시간에나 하는 이야기를 하는 이유는 다름 아닌 '아세안'이라는 잘못된 규정 때문이다.

한국, 중국, 일본이 각기 언어도 다르고 문화도 다르듯 베트남, 태국, 필리핀, 말레이시아는 언어도 문화도 판이하게 다른 나라이다. 우리가 '동남아' '아세안'이라고 부르다 보니 우리가 흔히 말하는 태국, 베트남, 필리핀, 인도네시아 같은 동남아시아 국가들이 같은 문화권이고 서로 비슷하다고 생각한다. 하지만 유럽 사람들이 우리에게 "한국, 중국, 일본은 동아시아 국가이니 서로 통하고 문자도 비슷하지 않냐?"라고 물어보면 "말도 다르고 문화도 다르고 완전

사람들마다 '나무' 하면 떠올리는 이미지는 천양지차이다.

히! 레알! 다르다."라고 강하게 부정한다.

"중국을 위시한 너희 동아시아인들은 검은 머리에 생긴 것도 비슷하고 같은 유교와 한자 문화권인데다 수천 년을 교류하면서 살아왔는데 다르다고?"라며 재차 물어보면 "완전히 다른 나라라고!"라며 소리지르며 답답해할 것이다.

베트남에 진출한 글로벌 기업 중에는 현지 법인의 디렉터나 법인장급으로 필리핀, 싱가포르, 말레이시아의 직원을 보내는 경우가 많다. 같은 동남아시아 사람들이니까 서양 사람인 자기들보다 잘할 것이라는 생각에서 말이다.

하지만 베트남 직원들과 최악의 상황까지 가면서 1~2년을 못 버티고 돌아가는 모습을 참 많이 봤다. 최근에 베트남에 어마어마한 물량을 쏟아부으며 투자하고 있는 태국의 최대 유통 기업은 로열 패밀리가 직접 와서 관리했지만 결국 직원들에게 일을 넘기고 두 손 들고 나가버렸다. 태국인 역시도 외국인이고 베트남 정치, 사회, 문화를 이해하고 그들의 입장에서 일해야 하는 입장인데 '같은 아세안 사람'이라는 잘못된 규정이 비즈니스를 망치는 것이다. 그런데 아세안 시장을 부각하는 언론 기사와 글로벌 리포트들이 많다.

유럽연합과는 근본적으로 다르다

'인구 6억 6,000만 명에 연평균 경제 성장률 5.2%의 성장세가 가파른 시장'이라며 아세안에 대한 수많은 리포트와 언론 기사들이 쏟아져 나온다. 특히 동남아시아 시장이 제2의 유럽연합 경제공동체 같은 존재가 될 것처럼 비교하는 언론 보도들도 많은데 동남아시아와 유럽연합은 비교할 수 없는 근본적으로 다른 경제 체제이다. 유럽연합은 라틴어와 기독교라는 공통의 문화가 깔려 있기 때문이다.

동남아시아 경제 공동체의 주도국이 없다

현재 유럽연합 가입 국가는 28개국이다. 하지만 유럽연합 경제의 핵심은 1인당 국민 소득이 4만~7만 달러인 프랑스, 영국, 독일과 같은 15개 서유럽과 북유럽 국가들이다. 뒤늦게 가입한 13개 동유럽 국가들은 이 서방국가에서 저임금 노동력을 보충해주는 보조적인 역할을 하고 있다. 유럽연합의 주축인 서유럽과 북유럽 국가 간의 소득 차이는 분명히 있으나 대부분 세계 15위권 이내의 경제 대국이다. 일정 수준 이상의 절대적인 국내총생산을 가진 국가들 간의 연합체라 서로 간의 협력과 견제가 가능한 것이다. 쉽게 표현하면 부자들끼리 재산의 정도 차이는 있지만 기본적으로 소득 수준이 높기 때문에 서로 간의 무시할 수 없는 힘의 균형이 이루어지고 경제 협력이 가능하다는 뜻이다.

그런데 동남아시아 경제 공동체는 특별히 주도하는 국가도 없고 회원 국가 간의 국내총생산도 큰 차이가 난다. 인구 2억 5,000만 명의 인도네시아가 자국의 규모를 내세워서 아세안의 맏형 역할을 하려고 하지만 태국이나 베트남이 인정하지 않고 있다. 서로 언어와 문화가 제각각이라 의사소통도 안 된다.

동남아시아는 언어와 종교가 제각각이다

유럽연합 국가끼리는 정서적으로 통하는 것이 있다. 기독교 문화와 라틴어 문화권이라는 것이다. 또한 서로 각기 다른 언어를 사용하지만 서유럽과 북유럽 국가의 시민들은 기본적으로 영어로 의사소통하는 데 어려움이 없다. 하지만 동남아시아 국가끼리는 서로 언어와 종교가 제각각이다.

국가	문화적 특징
필리핀	가톨릭, 영어 문화권
인도네시아, 말레이시아, 브루나이	인니 말레이어, 이슬람, 말레이 인종
태국, 캄보디아, 라오스, 미얀마	불교 + 힌두 복합 문화
베트남	한자, 유교+불교+ 도교 문화
싱가포르	중국 화교 + 일부 인도 문화

게다가 유럽연합은 가입 국가들이 공동의 통화를 사용하고 유럽 의회를 구성해 유럽연합이 나아가야 할 방향을 설정하지만 동남아시아 회의는 구속력도 없다. 최근에는 중국의 영향으로 만장일치로 채택되는 안건도 드물다. 물론 동남아시아도 유럽연합처럼 회원국 내에서 큰 제약 없이 일을 할 수 있다. 그런데 대부분은 소득 수준이 낮은 회원국 국민들이 상대적으로 경제 수준이 높은 나라에서 한 달에 200달러 미만의 저임금 노동력을 보충해주는 정도일 뿐이다.

언론이나 글로벌 컨설팅 회사들이 동남아시아 개별 국가들에 대한 리포트보다는 전체 규모로 시장을 설명하려 든다. 그 이유는 각각의 나라만 가지고 시장 규모를 봤을 때는 매력적인 투자처가 못 되기 때문이다. 세계적인 경제 둔화로 어떻게 해서든 새로운 투자처를 만들어내야 하는 입장은 이해가 된다. 투자는 냉정하게 이루어져야 한다.

이렇게 설명을 드려도 "그래도…… 그래도…… 아세안 국가끼리는" 하고 말씀하시는 분들이 많다. 좀 더 와닿을 수 있게 예를 들어 보겠다. 한국에 진출한 글로벌 기업의 CEO가 미국인인 자신이 눈에 일본과 한국이 비슷해 보인다고 일본 사람을 한국 지사장에 임명한다면 한국에서 사업을 잘할 수 있을까? 쉽게 말하면 '한국과 일본은 같은 아시아 국가이고 이웃한 나라이니 한국 지사장으로 일본 사람을 보내야겠다. 그리고 일본인 지사장이 제안하는 방식대로 한국 시장을 공략해야겠다.'라고 생각하는 것과 같은 이치이다.

그러니 한국에서 하던 방식을 고스란히 베트남에서 하면 될 것이라는 생각, 중국에서 하던 방식을 베트남에서 하면 될 것이라는 생각은 참고는 할 수 있겠지만 그걸 무슨 절대 바이블처럼 생각하지

말았으면 한다. 가끔 필자를 '동남아 전문가'라고 소개하는 분들도 있는데 절대 동남아 전문가가 아니며 베트남 이외 다른 나라는 잘 모른다. 동남아시아 국가에 대해 모르는 사람들보다 상황을 조금 더 이해하려고 노력할 뿐이다. 굳이 (굳이!) 동남아시아 국가별로 권역을 묶는다면 다음과 같다.

A그룹	싱가포르, 말레이시아 화교 그룹
B그룹	'말레이시아+인도네시아' 무슬림 말레이 그룹
C그룹	태국, 라오스, 일부, 캄보디아, 미얀마 일부 태국 그룹
D그룹	베트남, 라오스 일부, 캄보디아의 일부 베트남 그룹
E그룹	미얀마
F그룹	필리핀

필리핀은 우리가 흔히 생각하는 아시아 문화권이 전혀 아니다. 스페인과 미국의 지배를 200년간 받아 서구 문화에 가깝다. 뭐, 이렇게 묶는 것도 의미 없고 그 나라 사람들이 들으면 화낼 요소이지만 굳이 언어 문화적으로 억지로 엮는다면 위와 같이 굳이 (굳이!) 권역을 구분한다.

2

북한의 롤 모델 베트남

2019년 2월 한반도의 평화가 베트남 하노이에서 선언되는 듯했다. 안타깝게도 하노이 선언이 불발되기는 했는데 도대체 왜 북미정상회담의 장소가 느닷없이 베트남이었을까? 우리는 그동안 잘 몰랐던 '남-북-미-중-베트남 5각 구도'가 형성되고 있었다. 미-중 다툼 속에 각 국가 간의 이해득실을 통해 한반도 평화 속에서 베트남의 역할과 그 비중을 설명해보겠다.

사돈네 집안 싸움 중재자이다

베트남과 북한은 절대적 우방이었다. 베트남-미국 전쟁 중에 북한은 공군조종사들을 파견하고 베트남 유학생들을 적극 받아들여 전쟁 이후의 베트남 재건을 위해 적극 도왔다. 그러다가 캄보디아를 두고 중국과 전쟁이 벌어지자 북한이 중국을 지지하며 베트남을

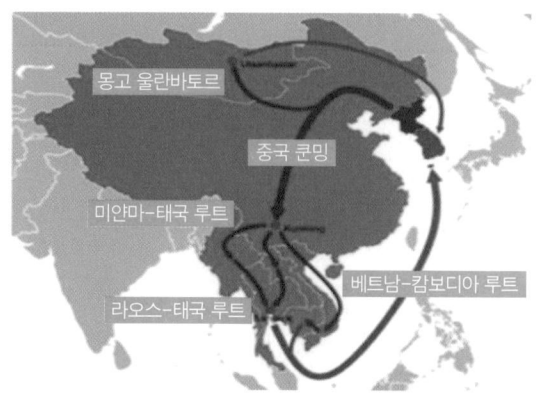

탈북민들의 탈출 루트와 2004년 호치민에서 대한항공 전세기 2대로
한국으로 보내지는 탈북민들 모습 (출처: KBS 뉴스 캡처)

비난해 다소 서먹해졌다. 그러다가 결정적으로 북한과 관계가 틀
어진 것은 2004년이다. 당시 노무현 정부 시절 탈북자들이 태국과
캄보디아를 거쳐 베트남 호치민 곳곳의 은신처에 숨어 있다가 대외
적으로 노출되지 않게 순차적으로 한정 숫자만 한국으로 입국했다.
그런데 북한에서 탈북자들이 베트남의 묵인하에 한국 정부의 보호
를 받고 있다는 것을 알게 되었다. 북한이 노발대발하며 탈북자 송

환을 요구하자 한국 정부는 대한항공 전세기 2대를 동시에 보내 486명의 탈북자 모두를 일시에 데리고 와버렸다. 북한은 이를 용인한 베트남에 배신감을 느꼈고 관계가 급격히 냉랭해졌다.

베트남과 북한의 관계는 대한민국이 최대 경제 교류 국가이자 최대 투자국가가 되면서 많이 멀어졌다. 여전히 쿠바와 더불어 몇 안남은 북한의 최대 우호 국가이긴 하다. 하지만 베트남과 북한이 한때 절친 관계였을지 모르나 지금 베트남의 최고 절친은 대한민국이다. 대한민국은 베트남의 최대 투자 국가이자 톱 4의 교역 국가이다. 베트남은 최초 한류 발상지이다. 반면에 베트남 국민들의 북한에 대한 이미지도 썩 좋지 않고 김정남 살인사건에 베트남 여성이 이용되어 부정적인 감정이 극에 치닫기도 했다.

이에 오랜 친구와 새 친구 모두를 둔 베트남이 한반도의 평화를 위해 팔을 걷어붙였다. 베트남에서는 서로 간의 갈등이 발생했을 때 양자 간보다는 제3의 중재를 통해서 해결하는 방식을 선호한다. 베트남은 한반도 평화의 중재자로서 제격이다. 의리를 중시 여기기에 오랜 친구 북한을 모른 척할 수는 없고 또 민족의 부흥을 위해 빨리 발전해가야 하는 데 새 친구 한국의 지원도 절대적이기 때문이다. 그런데 베트남이 단순하게 한국의 최대 교역 국가이자 한류의 발상지이고 북한의 동맹국가이기 때문에 중재자로서 적합한 것은 아니다. 이 안에는 미국과 중국 속에 얽혀 있는 베트남의 역사가 들어 있다.

베트남과 북한은 반중국가라는 점이 닮았다

베트남은 뼛속 깊은 반중反中국가이다. 1,000년의 중국 지배 속에 민중들의 저항을 통해 독립 국가를 세웠다. 지금도 베트남 사람들은 중국이라고 하면 이를 간다. 북한 역시 마찬가지이다. 지금은 북한의 편을 들어주는 사람이 없어 중국에게 경제 지원을 받고자 기대고 있을 뿐이다. 중국 역시 미국으로부터의 방파제 역할을 할 존재로서 북한 정권이 무너지지 않을 정도로만 지원해줄 뿐이다. 북한 역시 이를 잘 알고 있으며 김정일의 유언이 "중국이 역사적으로 우리를 괴롭혔던 것을 잊지 마라. 중국에 이용당하지 말라."는 것이었다고 할 정도이다. 베트남과 북한은 중국에 대해서는 역사적으로도 지정학적 위치로도 동병상련의 처지이다.

중국을 믿지 않으면서도 국가와 민족의 안정을 위해 이웃한 큰 나라와는 갈등을 빚지 않는 적절한 거리에서 관계를 유지하면서도 경계심을 늦추는 방법을 찾기란 어렵다. 그런데 그 어려운 것을 해내는 나라가 베트남이다. 앞서 베트남이 중국과 전쟁을 통해 승리를 했음에도 곧바로 화해의 제스처를 보내고 경제 교류를 재개한 결단력에 대해 이야기했다. 그리고 15년 동안 전쟁을 벌였던 미국에게도 끊임없이 화해 손길을 보내 마침내 수교를 맺고 경제 제재에서 벗어나 전세계에서 가장 빠르게 발전하는 국가가 되었다. 바로 이것이 북한이 베트남으로부터 배우고 싶은 점이다.

베트남은 북한 개혁개방의 좋은 모델이다

김정은이 아무리 개혁개방 정책을 펼치고 싶어도 마음대로 할 수는 없다. 북한의 기득권 세력들과 공산당을 절대적으로 신봉하는 강경보수 세력들의 반발 때문이다. 그런데 베트남은 공산당 정치체제는 고스란히 유지하면서도 미국과 수교를 맺고 개방을 해 굶주림에서 벗어나는 정도가 아니라 전세계에서 가장 주목받는 유망 시장이 되었다. 베트남 경제 모델로 실리와 명분이라는 두 마리 토끼를 모두 잡은 것이다. 김정은이 북한의 강경보수 세력들을 설득할 수 있는 절대 해답이다.

또한 북한의 강경보수 세력들도 개혁개방만이 경제를 살릴 유일한 방법이라는 것을 알고 있다. 다만 절대 원수 미국을 어떻게 신뢰할 수 있겠느냐는 것이 최대 관건이다. 이 불신을 한 방에 해결해준 것이 2018년 미 항공모함의 다낭 해군기지 입항 사건이다. 앞서 말했지만 이는 동남아시아의 역학 구도의 대변동을 일으킬 역사적인 사건이기도 하지만 북한에게는 커다란 충격이자 희망이기도 한 것이다. 선발자의 길을 따라가는 후발자의 안도감 속에는 실수를 최대한 줄이고 보다 개선된 방식을 찾고자 하는 의욕이 있기 때문이다.

권력은 공산당이 장악하고 경제는 돈주에게 준다

최근 평양에 새롭게 조성된 신시가지인 미래과학자거리. 김정은의 지시로 조성되었다고만 알려져 있는데 사실은 북한 내 신흥 부

최근 평양 신시가지가 잘 조성되고 있다는 중국 언론 보도들이 많다.

자인 '돈주(쩐주)'들에게 분양권을 과감하게 보장해주어서 만들어진 것이라고 한다. 아무리 절대 권력을 쥐고 있는 북한의 김정은이라지만 경제는 자기 마음대로 할 수 있는 것이 아니라는 것을 잘 알고 있다. 국가 내에 돈을 쥐고 있는 권력들을 잘 어르고 달래서 만들어낸 성과물이다.

베트남이 그랬다. 도이 머이 정책을 시행했지만 성과가 지지부

진해지자 국가 서열 1위인 당서기장과 2위인 국가주석은 북부 출신이 맡고 경제를 책임지는 총리 자리는 경제를 잘 아는 남부 출신에게 맡겨버린 것이다. 나중에는 국가주석과 총리까지 남부 출신으로 선출해버렸다. 베트남 남부 지방은 1975년 통일이 되고 1986년 도이 머이 정책이 시행될 때까지 11년간만 공산주의 체제를 경험했지 오랜 세월 프랑스와 미군 통치하에서 자유 시장경제가 자유로웠다. 형식과 답답한 사상에 얽매이지 않고 국가의 현실적인 이익을 먼저 생각한 베트남 지도부의 모습을 김정은은 배워야 한다.

군은 국방과 경제를 함께 지킨다

도쿄신문의 보도에 따르면 김정은이 대북 제재 해제를 대비해 군 인력의 25%에 해당하는 30만 명을 건설 산업 인력으로 전환 배치할 계획이라고 한다. 아직 사실 여부가 밝혀지지는 않았지만 다행스럽고 반가운 소식이다.

북한이 베트남식 개혁개방 정책을 배울 것이라는 말들이 계속해서 나오고 있는데 그 무엇보다도 베트남으로부터 배워야 할 것은 군의 비즈니스 활동이다. 북한 내에서 가장 강력한 권력을 쥐고 있던 군부가 평화체제가 시작되면 자연스럽게 힘이 빠질 것을 두려워해 얼마든지 쿠데타와 같은 체제전복을 노릴 수 있기 때문에 잠재적인 위협 요인이다. 그렇다면 군부가 총 대신 사업을 통해 돈을 벌수 있고 여전히 국가의 중심 축으로 남아 있을 수 있다면 얼마든지

베트남군 기업이 운영하는 항만, 항구, 통신사, 항공물류, 은행

평화 분위기에 협조적일 수밖에 없다.

북한의 김정은 정부가 적극적으로 벤치마킹해야 할 회사는 베트남군이 운영하는 통신사, 은행, 항만 회사, 건설 회사, 골프장, 항공사 등이다. 특히 군 통신사인 비엣텔은 최근 동유럽의 벨라루스, 아프리카의 콩고, 남미의 콜롬비아, 아세안의 미얀마 진출을 준비 중이고 항간에는 북한 진출을 타진 중이라는 이야기도 있다. 비엣텔은 글로벌 메이저 통신사들이 수익성 때문에 진출하지 못하는 틈새 시장 곳곳을 파고들어 군 특유의 집요함과 근성으로 척박한 시장을 개척하고 있다. 또한 베트남 정부와 비엣텔은 국가 기간 사업이라는 통신을 미국 메이저 업체들에게 넘겼을 때의 불안감을 잘 해결하고 있는 것으로 보인다.

북한 정부와 군부는 베트남 군의 사업 활동을 잘 보고 배워야 한다. 그동안 북한은 미사일 발사 기술과 핵 기술을 수출했지만 이제는 합법적으로 '돈'을 벌어야 할 때가 되었다. 개방체제가 되었을 때 군부의 일방적인 희생을 강요했다가 벌어질지 모를 체제전복을

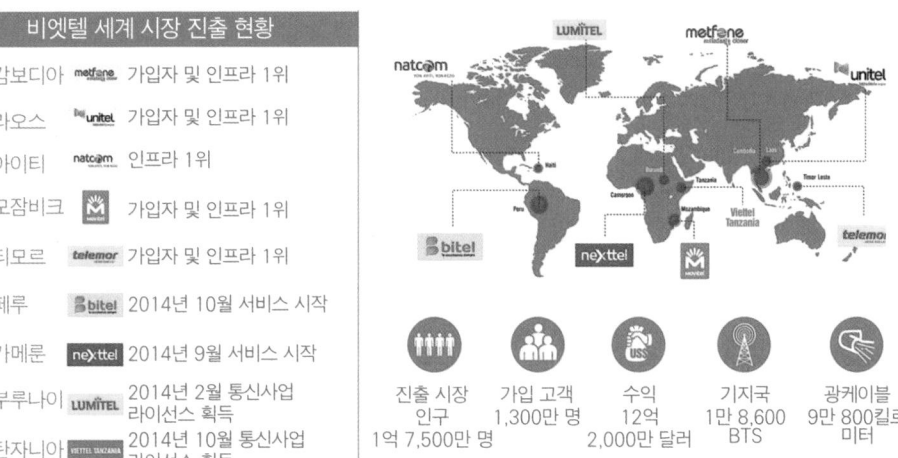

베트남의 대표 통신사인 비엣텔은 군이 운영하는 기업으로 제3세계에서 시장 점유율 1위를 차지하고 있다.

막아서는 데 이런 경제 활동만큼 훌륭한 대안이 없어 보인다.

적의 적은 우방 – 미국, 베트남과 손잡다

최근 미중 무역 전쟁이 격해진 원인은 세계 넘버원 미국이 자신의 자리를 넘볼 정도로 급격히 성장한 중국에 대한 강한 보복 때문이라는 것이 기정사실이다. 특히 중국이 동남아시아, 중앙아시아, 중동, 아프리카까지 전방위적으로 영향력을 행사하자 미국은 더 이상 가만두고 볼 수 없었던 것이다. 앞서도 말했지만 중국이 인도차이나 반도의 패권 국가인 베트남의 영역인 라오스와 캄보디아까지 영향력을 행사하려 들자 베트남은 위기감을 느꼈다.

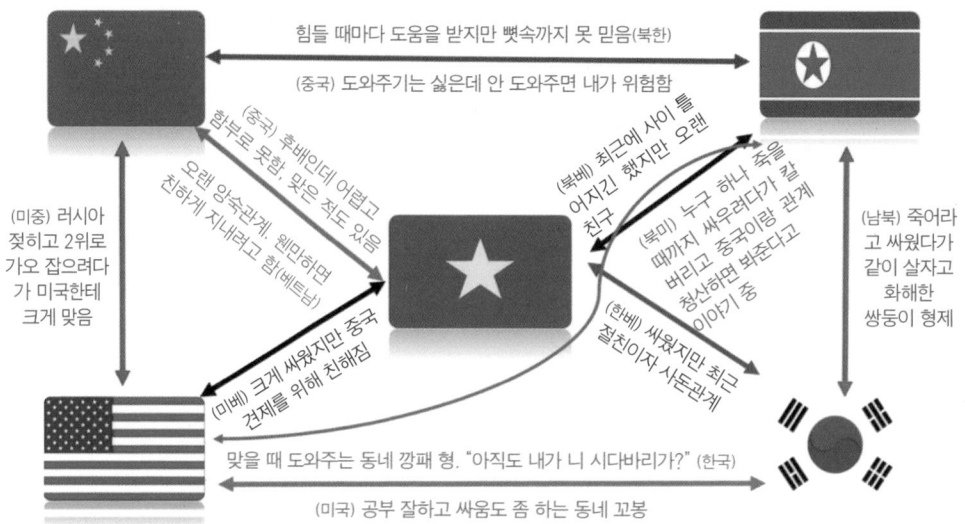

힘들 때마다 도움을 받지만 뼛속까지 못 믿음(북한)

(중국) 도와주기는 싫은데 안 도와주면 내가 위험함

(중국) 후배인데 어렵고 함부로 못함. 맞은 적도 있음

오랜 앙숙관계. 웬만하면 친하게 지내라고 함(베트남)

(미중) 러시아 젖히고 2위로 가오 잡으려다 가 미국한테 크게 맞음

(북베) 최근에 사이 틀 어지긴 했지만 오랜 친구

(북미) 누구 하나 죽을 때까지 싸우려다가 칼 빼리고 중국이랑 관계 청산하면 봐준다고 이야기 중

(한베) 싸웠지만 최근 절친이자 사돈관계

(남북) 죽어라 고 싸웠다가 같이 살자고 화해한 쌍둥이 형제

(미베) 크게 싸웠지만 중국 견제를 위해 친해짐

맞을 때 도와주는 동네 깡패 형. "아직도 내가 니 시다바리가?" (한국)

(미국) 공부 잘하고 싸움도 좀 하는 동네 꼬붕

남북미베중의 역학 관계. (필자 정리)

미국은 자신들의 우방은 아니더라도 중국을 견제할 수 있는 국가로 베트남을 주목했다. 지난 20여 년간 인도를 적극 지원했지만 밑 빠진 독의 물 붓기였다. 게다가 최근 파키스탄과의 국경 분쟁에서 허약한 인도 코끼리의 전투력을 드러내 실망이 이만저만이 아니었다. 남미에서는 좌파 정권의 확산을 막기 위해 브라질을 적극 지원했지만 심각한 부정부패와 넘쳐나는 빈민으로 개선될 기미가 없다. 그런 와중에 동남아시아에서 눈에 띄는 나라가 있었으니 바로 베트남이다. 그 어떤 나라보다 성실하고 빠르게 발전해나가면서 중국을 싫어하는 나라. 기존에 적극 지원했던 인도나 브라질에게서는 찾아볼 수 없는 기민한 대응력과 유연한 베트남 정부가 새로운 파트너로서 최적이었다. 게다가 중국이 함부로 할 수 없는 인구 1억 명에 동남아시아 최고의 군사 대국이다. 무엇보다 미국, 중국 모두와 전

쟁에서 승리한 강인한 나라로 전세계에서 검증받았다. 그래서 미국이 동남아시아의 전략적 동반자로 베트남을 선택한 것이다. 게다가 북한이 신뢰하는 우방국가이다. 또한 북한에게 롤 모델로 제시하기에 매우 적합한 나라이다.

고래 싸움에 하늘로 날아오를 준비를 하는 나라가 바로 베트남이다. 세계 역학 관계 속에서 왜 베트남 시장인지에 대한 또 하나의 대답이기도 하다.

4장

베트남 사업 시
알아야 할 것들

인트로

회사를 그만두고 흔히 쉽게 생각하는 사업이 '먹는 장사'이다. 하지만 먹거리 사업은 보기와 다르게 매우 힘들다. 집에서 음식을 잘한다고 해서 '먹는 장사'를 잘한다는 보장이 없다. 하지만 요리는 못하지만 '먹는 장사'를 잘하는 경우는 많다. 말 그대로 '비즈니스'이기 때문이다. 직원 관리, 신선한 식자재의 원활한 공급, 적절한 수요 예측에 따른 재료 관리, 고객 관리…… 등등 신경 써야 할 것은 수없이 많다. 맛있다고 먹는 사업이 잘되지 않는다는 것은 분명하다.

해외에서의 먹거리 사업은 더더욱이나 어렵다. 음식에는 그 나라의 민족성, 사회성, 정치적 이슈, 기후, 날씨, 생활 환경…… 등등 모든 것이 다 반영되어 있는 그 나라 문화 산물 그 자체이기 때문이다. 아무리 한국에서 맛있는 음식이라도 베트남 소비자에게 맛있으리라는 보장은 없다. 한국에서는 얼큰한 짬뽕 국물이 베트남에서는 그저 맵디매운 고춧가루 덩어리로 받아들여지기도 한다. 베트남 일반 가정에서 소비되는 소비재와 식음료 사업은 그 나라의 문화, 사회, 역사, 기후 등등을 다 고려해서 접근해야 한다. 내가 팔고 싶은 상품이 아닌 고객이 원하는 상품을 고객이 소비하고 싶은 방식으로 판매해야 한다. 음식 이야기를 통해 베트남 사업에 진출할 때 고려해야 할 점을 다루어본다.

1

한국 방식이 정답이 아니다

비빔밥을 어떻게 먹을 것인가

우리는 물건을 판매할 때 "고객에게 맞추어야 한다." "고객이 원하는 대로 해주어야 한다."라고 말한다. 그렇다면 음식을 판매할 때에는 어떨까? 비즈니스적으로는 음식 역시 하나의 상품이지만 음식에는 그 나라의 사회, 문화, 정서, 역사가 다 담겨 있다. 김치찌개나 비빔밥 같은 대표적인 한식 메뉴는 한국을 대변하는 상징적인 표상이기도 하다. 그래서인지 외국인들이 된장찌개나 청국장 같은 토속적인 한국 음식을 잘 먹으면 그렇게 뿌듯하고 반갑다. 반면에 비빔밥을 고추장이 아닌 간장에 비벼 먹는다든지 비빔밥인데 비벼 먹지 않고 덮밥처럼 먹는 모습을 보면 여간 불편한 것이 아니다.

이 지점에서 tvN의 〈윤식당 2〉는 작게는 한식업을 하는 분들이 어떻게 해외에서 한식당을 운영해야 할지와 크게는 우리 기업들이 어떻게 해외에서 소비재 상품을 팔아야 할지를 잘 보여준다.

비빔밥을 비벼 먹지 않는다

〈윤식당 2〉에서 윤여정은 비빔밥을 시킨 손님에게 "밥과 채소와 고기를 매운 소스에 비벼 먹는 것이다."라고 설명을 한다. 그러자 그 손님이 일행에게 "섞기 싫어. 그냥 조금씩 다 먹어보고 싶어. 매운 소스는 찍어서 먹을 거야."라고 한다. '비빔밥인데 밥을 비벼 먹지 않으면 그것이 비빔밥인가?' 한국인 입장에서는 당연히 제기할 수 있는 불편한 질문이다. 하지만 상품으로서는 어떨까? 비빔밥에 고추장을 비며 먹든 원하는 대로 찍어 먹든 그것은 비빔밥이라는 상품이 잘 팔리면 되는 것이 아닐까? 이 장에서는 지속적으로 이 음식의 '정체성(아이덴티티)'에 대해서 지속적으로 제기하고 베트남 식음료**F&B** 시장에서의 실제 사례를 연달아 제시할 예정인데 고객이 어떻게 먹든 잘 팔리면 되는 것이지 않을까?

〈윤식당2〉에서 비빔밥을 비벼 먹지 않은 손님이 서양인이라서 그런 것이 아닐까 할 수도 있지만 우리나라와 정서가 비슷하고 매운 음식을 잘 먹는 베트남 사람들도 비빔밥을 비벼 먹지 않는 경우가 대다수이다. 밥에 얹어져 있는 각종 나물과 고기류를 덮밥 먹듯이 밥과 따로 먹다가 절반쯤 남았을 때 비벼 먹는 경우가 많다. 당연히 한국인 입장에서는 비빔밥에 고추장을 넣어서 쓱쓱 비벼 먹어야 제맛이다. 그런데 고객이 싫다는데 그걸 억지로 강요할 필요가 있을까? 고객이 좋아한다면 마요네즈에 발라먹든, 케첩에 비벼 먹든 그것 또한 넓은 의미에서 비빔밥이다. 비빔밥의 매운 고추장 맛을 순화시켜주는 치즈를 잔뜩 뿌려 같이 비벼 먹는다고 해서 그것이 비빔밥이 아니라고 할 이유가 없다. 해외 한식당을 찾는 서양

서양인에게 친숙한 비빔밥 이미지

인 손님들은 대체로 간장에 비벼 먹는다. 일본 음식이 해외에서 자리를 먼저 잘 잡았기에 간장이 익숙한데다 대체로 매운 것을 좋아하지 않는다. 그런 사람들에게 고추장을 강요하면 비빔밥이라는 상품 자체를 팔기 어렵다. 떡볶이도 고추장 소스에서 벗어나 간장 소스로 궁중 떡볶이를 만들어 맵지 않은 음식으로 판매하지 않는가. 비빔밥이라는 상품의 '정체성'을 지킬 것인가 비빔밥이라는 상품을 해외에 '잘 판매하는 것'이 중요한가에 대한 명확한 목적을 정립해야 한다. 우리는 '사업'을 하고자 하는 것이니 말이다.

밥을 숟가락이 아닌 젓가락으로 먹는다

본래 "전주비빔밥은 젓가락으로 비비는 것이다."라고 말하기도 하지만 한국에서 일반적으로 숟가락으로 먹는다. 밥을 숟가락으로 먹는 민족은 한국인들밖에 없다. 그 이유는 아직 명확하게 알려진 바가 없다. 중국, 일본, 베트남에서도 모두 밥을 젓가락으로만 먹는다. 동양이든 서양이든 숟가락은 국물이나 수프를 떠먹을 때나 이용하는 것이지 밥을 먹는 용도는 아니다. 숟가락으로 밥을 먹는 경우에는 아주 어린아이들이나 숟가락으로 떠먹일 때이다. 특히나 서양 사람들에게는 숟가락으로 밥을 먹는 것은 어린아이 취급당한다는 굴욕감을 안겨줄 수 있다.

서양인들에게 젓가락질 자체가 서툴기는 하지만 한식보다 앞서 해외에서 자리를 잡은 중식과 일식의 영향으로 (동)아시아 음식을 젓가락으로 먹는 것은 친숙하고 당연한 것으로 생각한다. 그런데 비빔밥을 먹는 외국인들은 숟가락 대신 젓가락으로 먹는 경우가 대다수이다. 거듭 말하지만 젓가락 문화권인 일본, 중국, 베트남인들도 마찬가지이다. 이렇게 이야기를 해도 이 글을 읽는 많은 독자들은 '비빔밥은 숟가락으로 먹어야지 젓가락으로 먹으면 안 되는데……'라고 생각하는 분들이 많을 터이다. 그렇다면 한국 사람들이 사랑한다는 아메리카노는 어떨까?

아메리카노, 피자, 파스타는 어떻게 먹을까?

유럽 사람들은 "커피는 당연히 에스프레소나 카푸치노만이 커피이지 아메리카노 따위는 절대 커피라고 할 수 없다."라고 외친다. 우리가 흔히 먹는 피자. 한국에서 많이 먹는 반죽이 두껍고 손으로 집

스파게티 먹는 방법 논쟁 스푼+포크 VS. 오직 포크

는 부분이 두툼한 피자는 미국식이다. 피자 본고장 이탈리아 사람들에게는 "저게 어떻게 피자라는 말이냐?"고 분통을 터뜨리지만 사람들이 그걸 좋아하는데 자신의 것을 고집한다고 될 일이 아니다.

　파스타를 먹을 때 대부분의 사람들이 포크와 스푼을 함께 이용해서 돌돌돌 말아먹는다. 그런데 이탈리아 사람들은 기겁하면서 그것이 말이 되느냐고 흥분해서 따진다. 그런데 이웃 프랑스 사람들까지도 "이게 더 좋은데 왜?"라고 이야기를 한다. 커피, 피자, 파스타모두 이탈리아 사람들이 자신들의 방식이 원조이고 당연하다고 생각하지만 비즈니스 측면에서는 전혀 다른 양상이다. '유럽 카페에는 왜 아메리카노가 없고 피자는 미국 음식 아니었나?'라고 생각하고 있다면 독자 여러분은 이미 필자가 무슨 말을 하고 있는지 이해를 했다는 것이다. 그러니까 비빔밥을 먹을 때 고추장을 넣든 간장을 넣든 젓가락으로 먹든 숟가락으로 먹든 굳이 가르칠 필요가 없다는 뜻이다.

고객이 사고 싶은 것을 팔면 되고 고객이 소비하고 싶은 방식 그대로 물건을 팔면 되지 팔고 싶은 것을 자신의 방식으로 판매하려고 강요하려 들면 안 된다.

베트남 사업도 마찬가지이다

기업들이 베트남 사업을 할 때도 마찬가지이다. 한국 기업들이 "글로벌! 글로벌!" 외쳐대지만 해외 사업에 대한 이해와 준비 자체가 안 되어 있다. 특히 대기업일수록 심하다. 해외 바이어들에게 물건을 파는 B2B 위주 영업만 해보았지 직접 현지 고객들에게 물건을 팔고 마케팅을 하는 B2C를 해본 경험이 의외로 적기 때문이다.

특히나 이제 한국 기업들이 본격적으로 공략하고 있는 화장품, 식품, 영화 콘텐츠 사업 등은 현지 해외 고객들의 일상생활, 문화, 관습, 기후, 종교 등등 다양한 것을 반영해야만 한다. 그래서 유럽과 미국의 글로벌 브랜드들은 더 이상 본사의 방침을 고집하지 않고 하나의 통일된 브랜드 전략도 고수하지 않는다. 하지만 글로벌 브랜드들의 전략을 따라하기 바쁜 한국 회사들은 '본사의 지침' '동일한 전략'을 강조하고 그것이 원칙임을 강요한다. 이는 해외 사업 경험이 적기 때문이다.

베트남처럼 한국보다 경제적으로 작은 규모의 나라에 진출할 때는 한국 방식을 마치 '선진 문물'이라는 듯 가르치려 든다. "못사는 나라 소비자들이 뭣 모르고 잘못된 자신들의 방식으로 우리 제품을 사용하려 든다."라고 훈계하려고 드니 실패할 수밖에 없다. 하드웨어 기술은 뛰어나서 세계 시장을 석권했던 일본 브랜드들이 소프트웨어와 콘텐츠 측면에서는 더 이상 힘을 못 쓰고 있는 이유를 잘 생각해봐야 한다. 메뉴얼이 잘 갖추어져 있고 프로세스대로 잘 움직이는 일본 사람들이지만 해외 현지 고객들의 다양한 요구 사항과 반응을 실시간으로 반영하지 못해 시장에서 밀려나고 있다. 기업들이 말로는 해외 시장의 현지화를 하겠다며 '로컬라이제이션Localization'을 외쳐대지만 자신들의 콘텐츠를 강요하고 있는 것이다. 한국 기업들은 이 점을 잘 감안해서 베트남 시장에서 건승하길 바란다.

2

친숙한 제품으로 공략하라

새로움이란 낯선 듯 친숙한 것이다

사람들은 기존의 것을 지켜워하고 새로운 것을 갈망한다. 그런데 상품으로서 새로움은 그 의미를 제대로 정립해서 접근할 필요가 있다. 마치 버블 티 브랜드 공차Cong Cha가 소비자의 기호에 따라 달콤한 정도를 조절할 수 있듯이 새로움의 농도를 조절해서 접근할 줄 알아야 한다. 기존의 것에서 100% 다른 것은 새로운 것이 아니라 '괴상하고 외계스러운 것'이다. '새로움'을 정의하기 쉽게 하기 위해 '친숙한' 것과 그렇지 않은 것에 대해 굳이 단어로 정리해보면 다음과 같다.

새로움

긍정적인									부정적인
친숙함	익숙함	새로움	신기함	생경함	특이함	낯섦	이질적인	괴상한	외계스러움

왼쪽 친숙함에 가까울수록 긍정적이고 오른쪽 외계스러움에 가까울수록 부정적인 느낌이다. 임의대로 분류한 이 단어 순서에 동의할 수도 있고 안 할 수도 있겠지만 필자가 궁극적으로 하고자 하는 이야기는 '새로운 것=긍정적'이 아니라는 것이다.

한국 음식은 이미 오랜 세월 전부터 존재하던 음식이지만 해외 사업을 할 때는 해당 국가의 고객들에게 어떻게 친숙하게 다가갈 것인지에 대해서 고민해야 한다. 물론 음식은 그 나라의 문화, 역사, 사회가 다 담겨 있는 것이지만 단순하게 한국의 음식 문화를 홍보하기 위함이 아니라면 냉정하게 사업적으로 접근해야 한다.

〈윤식당 2〉 내용을 살펴보자. 리투아니아에서 왔다는 가족이 메뉴판을 보더니 한참을 살펴보다가 "여긴 재미있을 것 같긴 한데. 우리가 한국 음식을 먹을 준비가 되어 있나?"라고 가족들에게 말한다. 리투아니아에서 왔다는 이 가족들은 한국 음식을 접해본 적이 없다 (반대로 나를 포함한 이 글을 읽는 사람 중에 리투아니아가 어디에 있는 나라인지 아는 사람이 몇 명이나 될까?). 이 리투아니아에서 온 분이 한국적인 것이 세계적인 것으로 아직도 굳게 믿고 있는 사람들에게 아주 시원하게 날려주신다.

"우리가 한국 음식을 먹을 준비가 되어 있나?"

음식 한 번 먹는데 무슨 준비씩이나 해야 하냐고? 대한민국의 수많은 사람이 맛있다며 좋아하는 태국 음식 똠양꿍. 그런데 특유의 낯선 향을 싫어하는 사람들, 아니 먹어볼 시도조차 안 하는 사람들이 훨씬 많다. "한 번 먹어보면 맛있을 거야."라고 말하고 싶겠지만 일반적으로 사람들은 자신의 입 안에 들어가는 것은 자신의 몸과 하나가 되는 것이기에 낯설고 이질적인 것을 함부로 용인하지 않는

리투아니아 사람이라면 누구나 좋아한다는 대표 음식 살티
바르스치에이. 비트 뿌리로 만든 차가운 스프이다. 우리는
살티바르스치에이를 먹을 준비가 되어 있는가?

다. 앞서 한 번 언급했지만 껍데기에 불과한 단어가 알맹이에 해당
하는 의미를 규정하는 주객전도 현상에 대해서 다시 한 번 생각해
볼 필요가 있다.

　이 방송을 보면 우리에게는 너무도 쉽게 발음되는 '비빔밥'을 외
국인 손님들이 발음하기도 어려워하고 또 읽었을 때 머릿속에 떠오
르는 이미지도 전혀 없다. 이서진이 콕 찍어 이야기한다 "고객들이
비빔밥이라고 읽지도 못한다."라고. 역시 뉴욕에서 공부한 사람이라
그런지 생각하는 방식이 참 글로벌하고 냉철한 사업가의 모습을 가
지고 있다. 메뉴를 봤을 때 머릿속에서 대충 어떠한 것이라는 이미
지가 떠올라야 한다. 그런데 아무 생각도 할 수가 없으니 그 음식을
먹어보고 싶을 리가 없다. 아무리 비빔밥이 한식 중에서 가장 세계
적인 음식이 될 자질이 분명해 보인다지만 발음하기도 어렵고 연상
되는 이미지도 없다면 고객에게 다가가기 어렵다.

절대 불변의 진리도 과감하게 깨야 한다

이서진은 비빔밥에는 무조건 고추장이 들어가야 한다는 절대 불변의 진리를 과감하게 깨버린다. 소비자가 매운 것을 안 좋아하는데 비빔밥은 무조건 고추장으로 비벼야 한다는 고정관념을 가지고서 사업하려고 하면 "뭐 하러 팔아요?"라고 딱 잘라 말해버린다. 그리고 바로 고객이 비빔밥에 간장과 고추장을 선택해서 먹을 수 있게 두 가지 소스 모두를 제공한다.

베트남 진출을 준비하며 필자에게 자문을 구하러 오는 분들이 많다. 다들 본인들의 제품들이 얼마나 좋은지를 설명하고 한국에서 얼마나 잘 팔리는지를 적극 홍보한다. 그런데 안타깝게도 한국에서는 잘 먹힌 제품인데 베트남 시장의 흐름에는 적합하지 않거나 일반 대중이 사용하기에는 너무 앞선 제품을 가지고 오는 경우가 많다. 베트남 시장 상황과 고객들의 성향 때문에 아직은 어렵다고 말씀을 드리면 "한국에서는 잘 팔리는데."라며 이해할 수 없다는 반응

서양에서는 간장 베이스 비빔밥을 선호한다.

을 보인다. 필자 역시 베트남에 처음 왔을 때는 같은 생각이었기에 그 입장이 이해는 된다. 그런데 베트남 소비자 입장에서는 '아무리 한국에서 잘 팔리는 제품'이라도 베트남에 맞지 않는 제품이면 팔릴 리가 없다. 한국에서 메인 제품이고 베트남에서도 팔고 싶은 제품이라지만 시장에 맞지 않으면 과감하게 다른 제품으로 교체할 수 있는 결단력이 필요하다. 이서진이 말한 대로 "비빔밥이라도 고추장 안 좋아하면 뭐 하러 파는가?" 말이다.

　냉철하고 글로벌 감각 충만한 사업가 이서진은 서양 사람들이 무엇인지 알지도 못할 '갈비'라는 단어 대신 낯선 단어인 '코리안 **Korean**'에 누구에게나 친숙한 '비비큐 립**BBQ Rib**'을 붙여서 '코리안 비비큐 립**Korean BBQ Rib**'이라는 보편적인 글로벌 단어로 유럽인 고객들을 공략하기 좋은 신메뉴를 내놓는다. 어느 나라나 나라마다의 'BBQ 립' 음식은 있다. 그래서 매우 친숙한 메뉴이다. 물론 한국 음식이기에 낯선 양념 소스인 '간장'을 사용한다. 하지만 웬만하면 일본, 중국 음식은 접해보았기에 간장 베이스는 익숙하다. 낯선 듯 친숙하거나 최소한 낯선 듯 익숙한 메뉴의 한국 음식으로 서양인들을 공략해야 한다.

베트남에서는 비빔밥보다 돌솥비빔밥이 더 잘 팔린다

　〈윤식당〉 이야기를 통해서 비빔밥 이야기를 길게 했는데 더운 나라 베트남에서는 일반 비빔밥보다는 돌솥비빔밥이 더 잘 팔린다.

필자 역시 의아해서 함께 밥을 먹는 베트남 직원들이나 베트남 친구들에게 "왜 일반 비빔밥보다 돌솥비빔밥을 선호하지?"를 끝없이 물어왔다. 결론은 "밥은 따뜻하게 먹는 것이니까."였다. 이 단순하고 당연한 답변이 많은 것을 생각하게 했다. 더운 나라 베트남의 대표적인 음식이 뜨거운 쌀국수이다. 우리는 이미 알고 있음에도 '더운 나라에서 왜 돌솥비빔밥이 더 잘 팔릴까?'라고 고민을 한다.

베트남에서 새로운 사업을 시도하는 많은 분들이 생각하는 아이템 중의 하나가 '팥빙수'이다. 역시 더운 나라이니까 시원한 음식이 잘 팔릴 것으로 생각한다. 수많은 개인 사업자들이 시도했고 한국의 양대 베이커리 회사인 파리바게뜨와 뚜레쥬르 모두 베트남에서 팥빙수 메뉴를 내놓았지만 반응이 신통치 않아 포기했다. 필자는 베트남 소비자들이 왜 팥빙수를 좋아하지 않는지 10년째 의문이다. 수없이 베트남 사람들에게 물어보고 있지만 딱히 명쾌한 답변을 못 얻고 있다. 대신 베트남에서 "왜 팥빙수가 인기 있어야 하는데?"라는 질문만 계속 받고 있지만 "한국에서는 여름에 잘 팔리거든." 말고는 역시 명확한 설명을 못하고 있다(한국에서 잘 팔린다고 해서 베트남에서 잘 팔릴 이유는 전혀 없다고 필자는 계속 말하고 있다).

그러면 "냉면은 어떤가요?"라고 질문하고 계시는 독자들이 분명 있을 것이다. 팥빙수는 베트남 젊은층 사이에서 일시적으로 판매라도 되었지만 냉면은 아무런 관심을 못 받고 있다. 여러 차례 이야기하지만 음식에는 그 나라의 사회, 기후, 날씨, 민족성, 정서적 감정 등등 수많은 것들이 반영되는 것이라 쉽사리 판단하기 어렵다. 베트남에서 식음료 사업 진출을 고려하는 분들은 꼭 생각해보길 바란다.

베트남에서 한국 식당을 하시려는 분들에게

필자가 자영업을 해본 적도 특히나 외식업 경험은 전무한 처지에 외식업에서 잔뼈가 굵은 분들에게 감히 베트남 식당 운영에 대해 한마디 드린다. 이러이러한 리스크가 있으니 감안하고 그것에 대한 대비책을 마련하라는 차원에서 받아주셨으면 좋겠다.

우선 여러분이 하는 생각을 다른 사람도 한다. 베트남에서 한국 식당을 하려는 분들의 상당수가 한국보다 맛이 없으니 제대로 실력 발휘하고 사업 초창기에 경쟁자보다 다소 저렴하게 운영하면 금방 자리 잡겠다고 쉽게 생각한다. 하지만 이런 생각은 누구나 한다. 베트남 진출하기 전에 알아두어야 할 것들이 있다. 앞서 말했지만 베트남에 거주하는 한국인이 20만 명이다. 특히 호치민에 거주하는 한국인이 12만 명가량이다. 한국의 충남 공주시의 인구가 10만여 명이니 한국의 어지간한 중소 도시 인구보다 많은 한국인이 베트남 호치민에 살고 있다. 그 뒷면에 숨겨진 뜻은 다음과 같다.

첫째, 베트남에는 거주 한국인만큼 한국 식당이 아주 많다. 한국인을 상대로 하는 외식업 시장은 이미 포화 상태라는 뜻이다.

둘째, 한국 교민이 적은 나라에서의 한국 식당은 외식업 경험이 없는 교민들이 궁여지책으로 운영하는 경우가 많지만 베트남에서 한국 식당은 한국에서 식당 운영 경험이 풍부한 분들이 운영한다. 여러분이 우습게 생각한 경쟁자들 모두 쟁쟁한 사람들이다.

셋째, 한국 식당이 많으니 한국 식자재도 많이 유통되고 음식 솜씨가 뛰어나서 한국 고향의 맛을 베트남에서도 구현해낼 수 있다. 한국 못지않게 음식 맛이 뛰어난 식당이 많다는 뜻이다. 여담으로

베트남에서는 상점이 폐업했다 싶으면 부동산 중개인들이 자신들에게 연락하라며 연락처를 흉물스럽게 붙여놓는다. 시체에 달려드는 하이에나들 같아 볼 때마다 끔찍하다.

필자는 평생 먹어본 과메기 중 가장 맛있는 포항 과메기를 베트남 호치민에서 먹었다. 포항 과메기가 아이스 박스에 담겨서 하루 만에 한국에서 베트남 호치민 테이블 위에 올라오기도 한다.

넷째, 너도나도 경쟁자보다 저렴한 가격으로 승부하려고 해서 정말 특별한 것이 없으면 6개월 만에 문 닫는 식당이 수두룩하다. 제살 깎아먹기만 하다가 공멸한다.

그다음은 식당 운영의 핵심은 맛, 인력 관리, 식자재 관리이다. 미국이나 유럽에서 식당을 운영할 생각은 엄두도 못 내면서 마찬가지로 해외이고 말 안 통하는 베트남에서 식당을 할 생각은 왜 그리도 쉽게 하는지 모르겠다. 베트남을 쉽게 생각하는 분들의 말을 들어보면 다들 이렇다. 못사는 나라라서 내가 뭐든 잘 할 수 있을 것 같다. 물가가 싼 나라이니까 사업 자금도 적게 들고 사람 부리기도 쉬울 것 같다. 말 안 통해도 통역 고용해서 일하면 된다. 다들 베트남 시장이 괜찮다고 하니 왔다.

치밀하게 준비를 해도 실패하는데 무슨 근거 없는 자신감으로 덤벼드는지 모르겠다. 특히 '한국 사람이 많이 살고 있고 못사는 나라이니 쉽게 할 수 있을 것 같다.'라는 부분이 의외로 많다. 자신감 충만해서 해외 사업을 준비하는 것도 좋지만 그럴수록 쉽게 무너진다. 한국에서 먹혔던 방식이 해외에서 먹힌다는 보장이 없다. 무술에 비유해서 설명하자면 한국에서는 싸움할 때 먹혔던 무술이 베트남에 왔더니 전혀 효과가 없어서 질 수도 있다는 말이다.

나름 해외 진출을 위해 준비를 많이 하셨다 하더라도 식당을 운영하실 분들이 더 잘 아시겠지만 식당이 '음식 맛'으로만 할 수 있는 것이 아니다. 식당을 운영할 때 음식의 맛 못지않게 중요한 것은 주인인 내가 관리 통제할 수 있는 직원과 저렴하면서도 신선한 식자재 관리이다.

말도 안 통하는 직원들을 통역을 통해서 관리 통제할 수 있을 것으로 생각하면 오산이다. 다들 그렇게 생각하고 왔다가 하루에도 몇 개씩 문을 닫는다. 필자가 거주하는 호치민 코리아타운 푸미흥 **Phu my Huong**에는 그런 식당들이 수두룩하다.

또 그다음은 한국인 소비자를 대상으로 할 것인가, 베트남 소비자를 대상으로 할 것인가이다. 한국인 소비자를 대상으로 운영하는 한국 식당들은 아주 많다. 한국인 고객을 대상으로 하려면 아주 치열한 경쟁 틈바구니에서 살아 남을 수 있는 본인만의 특별함이 있어야 할 것이다. 그 특별함에 대해서는 반드시 제3자에게 확인을 받아보길 바란다.

베트남 소비자를 대상으로 식당을 운영하려면 베트남에 대해 충분히 공부하고 생활해보고 아이템을 결정하길 바란다. 못사는 나라이니 무조건 싸게 팔면 될 것이라는 생각은 절대 망함의 지름길이다. 더운 나라이니 시원한 냉면이나 팥빙수를 팔아볼까 생각했다가는 그 역시도 폭망의 지름길이다.

게다가 베트남 최대 식음료 기업 두 곳이 베트남 소비자를 대상으로 베트남 사람 입맛에 맞는 한국 음식 체인점을 수십 곳 운영 중이다. 그곳에서 맛을 확인해본 분들은 제대로 된 한식이 아니며 맛도 없어서 본인들이 잘할 수 있을 것으로 확신한다. 그것이 베트남 고객의 입맛이다. 앞에서 〈윤식당〉 이야기를 통해 이미 설명을 했다. '한국에서 하던 방식이 정답이 아니다'라는 것을.

마지막으로 베트남 진출 전 이것만 해보시라.

첫째, 베트남어를 배우면서 베트남 상황 파악을 하라. 짧게는 3개월에서 길게는 6개월 동안 어학연수를 하면서 베트남 상황을 파악해보라. 유창한 베트남어를 하라는 것이 아니다. 간단한 베트남어라도 할 줄 알고 모르고의 차이가 어마어마하다. 이렇게 말하면 항공료와 생활비가 아깝다고 말씀하는데 준비 안 된 상태에서 사업해서 투자금을 모두 잃는 것보다는 훨씬 저렴한 방법이다.

둘째, 베트남에 대해 알려고 노력하라. 베트남에서 사업하겠다고 와서는 유흥에 빠져 투자금을 날리는 경우가 많다. 베트남 물가가 싸다고 생각해서 흥청망청 쓰다 보면 1년도 안 되어 억 단위의 돈이 없어지기도 한다.

셋째, 쓴소리하는 사람을 가까이하라. 다들 비슷한 생각으로 쉽게 베트남에 달려드니 여러분을 노리는 사기꾼들이 많다. 특히 "내가 누구를 아는데……."라며 인허가 관련해서 쉽게 해결해주겠다며 접근하는 사람들을 조심하길 바란다. 세상에 쉽고 편한 길이 어디

베트남 외식업계의 양대 산맥인 레드선과 골든게이트라는 회사가 운영하는 한국 음식점들. 한국인의 입맛에는 부족함이 많지만 베트남 소비자들에게 많은 사랑을 받고 있는 음식점들이다.

있겠는가. 한국에서는 산전수전 다 겪은 분들이라 잘 아는데도 해외 나오면 머릿속이 텅빈 것처럼 실수를 하게 된다. 절차의 어려움이나 결과가 쉽사리 나오지 않는다고 말하는 사람을 가까이하길 바란다. 그런 사람들은 최소한 여러분을 속이려고 하지는 않기 때문이다.

넷째, 베트남은 어려운 시장이다. 그래서 매력적이기도 하다. 베트남을 단순하게 "만만치 않은 곳이다."라고 말하기에는 부족함이 많다. 베트남은 "정말 어렵고 까다로운 곳."이다. 하지만 누군가는 성공해서 돈을 벌고 있다. 성공 코드가 있으니 잘 찾아보고 연구해야 할 것이다. 베트남에서 자리만 잘 잡으면 신규 시장 진입자가 쉽사리 들어오기 어려워 안정적으로 사업을 꾸려갈 수 있는 곳이기도 하다. 매력적인 시장에 서두르지 말고 충분한 시간을 갖고 준비하길 바란다.

다섯째, 무엇을 하느냐보다 어떻게 하느냐가 중요하다. 마지막으로 가족과 친지부터 친구, 지인, 그리고 페이스북 메신저를 통해 불쑥 말을 거는 낯선 분들까지도 항상 하는 질문이 있다. '베트남에서 무엇을 하면 성공할 수 있나요?' 제가 그걸 알면 진작에 해서 부자가 되어 있지 않겠습니까 독자 여러분?

지난 10년간 베트남에 있으면서 그리고 베트남에서 사업체를 운영하고 계시는 많은 선배들을 통해 깨달은 것은 '무엇을 하느냐가 중요한 것이 아니라 어떻게 하느냐'가 중요하다는 것이다. 같은 제품을 판매하더라도 누가 어떻게 판매하느냐에 따라 결과가 너무도 달라지는 시장이다. 단순하게 베트남 소득 수준이 낮아서 더 싸게 팔아야 한다는 강박 관념에 빠지지는 말길 바란다. 누구보다 잘 아실 여러분들이지만 세계 어딜 가나 다른 이로부터 돈을 버는 일은 절대 쉽지 않다.

3

베트남 제과업게 1위 오리온

베트남 진출 한국 업체들 중 성공 사례로 언론에 보도되는 곳을 보면 대부분 베트남에서 해외로 수출하는 곳이다. 삼성전자가 베트남 전체 수출액의 20%를 책임진다고 하지만 모두 해외 수출에 의한 매출이지 베트남 내수 시장에서의 매출은 아니다. 그 업체들의 성과 역시 훌륭하다. 그 가치를 깎아내리는 것이 아니다. 다만 순수하게 베트남 소비자들을 대상으로 사업하면서 만들어낸 성과와는 또 다른 성격이라는 것이다.

오리온의 베트남 매출   (단위, 억 원)

구분 \ 연도	2014	2015	2016	2017	2018
매출	1,501	1,649	2,045	2,224	2.267
영업 이익	121	133	265	363	

베트남 일반 가정집에서는 돌아가신 부모님 제사상을 올리고 상점에서는 사업 번 창을 기원하는 다양한 신을 위한 제사상을 올린다. (왼쪽 출처: 오리온 홍보실)

언론에서 해외 수출 기업 위주로 보도하는 이유도 그만큼 베트남 내수 시장을 상대로 사업을 하는 한국 업체 중에 가치 있는 성과를 내는 곳이 손으로 꼽을 정도이기 때문이다. 필자는 2019년 기준 베트남에 진출한 7,700여 개의 크고 작은 한국 회사 중 성공적으로 안착한 곳을 하나만 고른다면 단연코 오리온이다. 그간 국내 언론에서 '베트남 제사상에 오르는 초코파이' 등에 대해 다루는 것을 많이 보았을 것이다.

사실 베트남 제사상에 초코파이가 오른다는 것은 그리 대단한 것은 아니다. 베트남 제사상은 한국에서처럼 1년에 한 번 차리는 것이 아니라 집 한 곳에서 매일 차려지기 때문이다. 꼭 초코파이가 아니라도 담배, 과일, 다른 과자 등등 매일 올려진다. 오리온이 베트남 시장에서 정말 대단하고 잘한 것들은 따로 있다.

시장을 예측하고 과감하게 영업을 한다

오리온이 베트남에 진출했던 2000년대 초반 소매유통점 95%는 재래식 구멍 가게들이었다. 여기서 말하는 재래식이란 상점에 포스 단말기가 없고 바코드 스캔 없이 손으로 계산하는 방식을 말한다. 한 마디로 구멍가게를 말한다. 대형 할인점이야 오리온의 한국과 중국에서의 인기로 좋은 진열 공간을 확보하기 시작했다. 하지만 동네 슈퍼마켓은 점 조직 형태의 대리상들을 통해서 납품해야 했다. 그런데 대리상들의 영업 관리는 주먹구구식인데다 가격 정책이 지역별로 천차만별이고 물건 공급에 대한 횡포도 심해 제대로 영업을 할 수가 없었다.

이에 오리온은 주문 금액도 크고 편리한 대리상 영업을 과감하게 포기하고 구멍가게들을 상대로 직접 영업을 시작했다. 말이 쉬워 직접 영업이지 수많은 동네 구멍가게를 일일이 찾아가서 영업하고 설득하는 작업이 보통 힘든 일이 아니었다. 게다가 오리온과 거래를 끊은 대리상들의 방해도 심해서 애를 먹었다. 시장 진입자에게는 답답한 환경이었는데 오리온은 다음과 같은 과감한 결정을 내린다.

전국 규모의 영업 사원 운용

효율성을 강조하는 기업에서 선뜻 결정하기 어려운 방식이다. 영업 사원 한 명이 대리상을 상대로 영업만 잘하면 100~1,000개의 골목 상점에 제품을 납품할 수 있다. 그런데 1,000개의 상점을 직접 영업하려면 최소 30명이 필요하기 때문이다. 그럼에도 오리온은 과감하게 결정했다. 당장의 효율성이 아닌 시장을 확실하게 장악하기 위한 투자였다. 베트남에 진출하는 수많은 기업들이 반드시 배워야 하는 부분이다. 기업의 목표가 적은 비용으로 최대한의 이윤을

얻는 것이라지만 초기 투자 비용 없이는 아무것도 할 수 없다.

인내심의 청소 영업 전략

오리온 영업 사원들이 상점을 찾아가도 점주들이 이야기를 들어 주지도 않았다. 오리온으로부터 물건을 공급받으면 잘 팔리는 다른 브랜드 제품을 공급하지 않겠다는 대리상들의 협박이 있었기 때문이다. 이에 오리온 영업 사원들은 이야기를 안 들어주니 청소도구를 오토바이에 싣고 매일 찾아가서 상점 앞을 쓸고 제품을 가지런히 정리해주고 진열된 제품을 걸레로 닦아주었다. 받아오는 주문 없이 허탕치는 날이었지만 굴하지 않고 매일 찾아가서 쓸고 닦았다고 한다. 그러자 점주들이 하나둘씩 영업사원들의 이야기를 들어주고 오리온 제품을 주문하기 시작했다. 제아무리 대리상들이 갑질을 해도 오리온 영업 사원들에게 마음을 빼앗긴 점주들을 돌이킬 수는 없었다.

밀어넣기가 아닌 컨설팅 영업

점주들이 물건을 구매해주기 시작은 했지만 주먹구구식으로 가게를 운영하니 재고가 얼마나 남아 있는지 어떤 제품이 잘 팔리는지 수요 예측을 못했다. 재고가 바닥이 나면 급하게 주문을 하니 판매 기회도 잃고 영업 활동의 효율성도 떨어졌다. 그래서 오리온 영업 사원들은 오리온 제품뿐만 아니라 매장 전체 제품의 재고를 파악하고 수요 예측을 해주었다. 아무렇게나 진열되어 있던 제품을 판매가 잘되는 브랜드 위주로 진열하고 오리온 제품 중 부진 재고는 프로모션을 통해 소진할 수 있게 도와주었다. 판매 추이를 바탕으로 수요 예측을 해주고 적정 주문량까지 제시해주는 데이터 영업을 본격적으로 제시한 것이다. 점주 입장에서는 오리온 영업 사원들이 자주 오기를 기다릴 수밖에 없었다. 여기까지가 언론에 소개된 베트남 오리온의 성공 비법이다. 여기에서 언론에 소개되지 않았고 사람들은 잘 모르는 또 한 가지의 성공 비법을 소개한다

변화를 예측하고 미리 준비한다

먼저 오리온 주요 제품에 대해서 설명하겠다. 오리온 제품은 크게 파이류와 스낵류가 있다.

- 파이류 : 초코파이, 커스타드……
- 스낵류 : 마린보이(고래밥), 스윙(감자칩), 오스타(감자칩)……

초코파이와 커스타드와 같은 파이류는 일종의 빵이라 2000년대 초반 베트남에서는 간단한 한 끼 식사 대용으로 많이 팔렸다. 베트남 여성들은 체구가 작고 소식하는 편이라 초코파이 하나가 충분히 식사 대용이 되었던 것이다. 이미 중국에서 성공적인 경험을 한 오리온은 소비자들의 경제 발전에 따라 소비 형태가 어떻게 달라지는지를 파악하고 있었다. 소득 수준이 올라가면 한 끼 때우는 파이류보다는 먹어도 딱히 배가 부르지 않고 심심할 때 먹는 '바삭바삭하게 씹히는 스낵류'의 매출이 증가한다는 것이었다. 게다가 스낵류는 파이류보다 판매 단가도 높은 아이템이다.

그래서 오리온은 영업 사원을 파이 담당 영업 사원과 스낵 담당 영업 사원으로 분리 확대 운영한다. 여기에서 오리온은 과감하면서

도 혁신적인 영업 운용 방식을 보여준다. 베트남 진입 초기에 과감하게 영업 사원을 확대한 것도 기존 회사들이 추구하는 효율 측면에서는 좋지 않은 방식이었다. 그런데 이제는 한 가게에 초코파이를 납품하는 영업 사원과 고래밥을 납품하는 영업 사원이 별도로 운영되는 것이었다. 누가 봐도 비효율적일 수밖에 없는 선택이었다.

하지만 오리온은 과감하게 분리해서 영업 인력을 운용했다. 왜냐하면 파이류에서 스낵류로 시장이 움직일 것이지만 아무리 영업 사원들한테 이야기해봐야 당장 매출하기 편한 초코파이와 커스타드만을 판매하려고 할 것이기 때문이다. 영업 사원 입장에서는 초코파이를 팔든 고래밥을 팔든 자신의 매출 달성이 우선이기 때문이다. 이를 이미 중국에서 간파한 오리온은 선제적이고 과감하게 영업 조직을 카테고리별로 나누어 별도 관리를 한 것이다.

오리온의 예측은 정확하게 맞아 떨어졌다. 베트남 소득 수준이 올라오자 스낵류의 매출이 올라오기 시작했다. 매출 비중이 작았던 스낵류 영업 사원들이 사전에 열심히 준비한 결과 좋은 성과를 낼 수밖에 없었던 것이다.

베트남 주재원 근무를 최소 10년으로 한다

일반적으로 베트남으로 발령받은 한국 기업들의 주재원 근무 연한은 3~4년이다. 한국 회사들의 고질적인 병폐가 비용 절감을 위해 새로온 부임한 사람이 1주일간의 짧은 인수인계로 모든 것을 이해하고 파악하게 한다는 것이다. 부임한 사람에게 1주일은 자신과

가족이 살 집과 애들 학교 알아보는 데에도 부족한 시간인데 어찌 전임자의 경험과 노하우를 전수받을 수 있겠는가.

오리온은 그래서 주재원들이 한 번 파견 나오면 기본이 10년 근무이다. 주재원으로 파견 나올 때 베트남어를 충분히 익히게 하는 것은 물론이다. 보통 해외 한 지역에서 5년 이상 거주하면 이민자라 부른다. 오리온은 주재원을 보내는 것이 아니라 직원을 이민 보내는 것이다. 베트남 현지 직원 입장에서도 베트남에 새로 부임해 온 사람이 현지 상황을 모르고 한국 방식으로 운영을 하려고 하면 많은 갈등을 빚는다. 사업 진행의 연속성도 없어져 혼란을 겪은 베트남 직원들이 회사를 옮기기 일쑤다. 게다가 의사소통도 안 되어서 통역이 호가호위를 하는 경우도 많다. 오리온은 이런 상황에 맞추어 과감하게 10년 이상 장기 파견을 보낸다. 말 그대로 베트남 전문가를 만들어버리는 것이다. 게다가 법인의 모든 히스토리를 알고 있으니 업무 진행 속도는 빨라질 수밖에 없다.

베트남 시장만을 위한 신제품을 출시한다

최근 오리온은 새로운 시도를 하고 있다. 시장이 정체되기 시작하자 새로운 성장 동력으로 베트남 소비자들만을 위한 신제품을 출시하기 시작한 것이다. 베트남의 하노이와 호치민 두 곳에 공장과 제품 개발 연구소까지 갖추어져 있어 가능하다. 사실 오리온은 한국에서 개발한 제품을 베트남으로 들여올 때도 베트남 기후와 베트남 소비자의 입맛에 맞게 변형해서 생산한다. 오리온 초코파이의 핵심

베트남 오리온에서 개발한 쌀과자와 베트남 사람들 입맛에 맞는 짭쪼름한 빵

인 마쉬멜로는 판매되는 나라마다 다르다. 대부분의 한국 기업들은 한국에서 잘 팔리는 상품을 전 세계에 유통하려고 한다. 그리고 그 상품을 현지에서 제조하더라도 한국 맛 그대로 재현해서 팔아야만 된다고 생각한다. 하지만 오리온은 오랜 시간 동안 해외 사업을 해 오면서 해외 시장마다 그 특성이 다르고 그 특성에 맞는 제품을 선 보이니 대응 방식이 다르다. 제품 이름도 과감하게 그 나라에 맞게 바꾸어버린다. 필자도 베트남에서 일을 하면서 항상 겪는 어려움이 베트남 현지에서 잘 팔리는 제품을 적극 팔고 싶어도 한국에서 주 력 제품이 아니기 때문에 베트남에서 팔기 힘든 주력 상품 중심으 로 팔고 평가 역시 주력 상품으로 평가하려고 한다는 점이다.

오리온 베트남의 성공 사례를 나름 상세하게 적는다고 적어보았 다. 하지만 실제로 유통 관련 일을 하지 않는 사람이라면 오리온의 과감한 선택이 얼마나 큰 결단이고 혁신적인 것인지 알기 어려울 것이다. 행여 안다고 하더라고 비용의 효용성과 성공을 장담할 수 없다는 이유로 쉽게 따라하기 어려워 보인다. 성공하는 기업에는 역시 그만한 이유가 있는 것이다.

4

인기 폭발 '두끼' 떡볶이

2018년 11월 베트남 호치민에 1호점을 오픈한 두끼 떡볶이가 베트남 진출 1년도 안 되어서 15점을 오픈할 정도로 폭풍적인 인기이다. 1인당 가격은 13만 9,000동(한화 약 7,000원)이다. 즉석 떡볶이에 들어가는 다양한 한국 라면, 어묵, 채소 등 사리뿐만 아니라 사이드 메뉴로 프라이드 치킨과 양념 치킨까지 나온다. 이 가격에 어떻게 이렇게까지 제공할 수 있을까 싶을 정도로 푸짐하다.

베트남 사람들은 한국 드라마나 영화에서 떡볶이를 많이 봐서 매우 익숙한 아이템이기는 하다. 하지만 그렇다고 해서 떡볶이 사업이 성공한 것은 아니다. 지금까지 수많은 떡볶이 체인점들이 베트남에 진출했지만 소리 소문 없이 사라졌다. 두끼 떡볶이 열풍을 보고 너 나 할 것 없이 베트남 시장에서 떡볶이 사업을 했다가는 십중팔구 낭패를 당할 것이다.

왜냐하면 두끼는 떡볶이의 탈을 쓴 뷔페 식당이기 때문이다.

두끼는 떡볶이의 탈을 쓴 뷔페 식당이다.

두끼 베트남 열풍 이유 1 - 뷔페

베트남에는 다양한 뷔페 식당들이 인기이다. 특히 전골 뷔페가 인기이다 두끼의 즉석 떡볶이는 베트남 사람들에게 친숙한 일종의 '전골'식 뷔페이기 때문에 성공한 것으로 보인다. 앞서 〈윤식당〉에서 해외 사업을 살펴본다고 했을 때 '낯선 듯 익숙한 것'에 대한 이야기를 했다. 전골 요리라는 베트남 사람들의 인기 메뉴, 떡볶이라는 한국의 낯선 음식, 그리고 마음껏 먹을 수 있는 '뷔페식'이라는 점이다.

베트남 1인당 국민소득이 2018년 IMF 기준으로 2,600달러 수준이다. 하지만 호치민이나 하노이 같은 대도시 거주자라면 외식으로 한 끼에 우리 돈으로 1만 원 정도는 얼마든지 쓸 수 있다. 다만

베트남에서 가장 인기 있는 전골 뷔페 키치키치

소득 수준이 꾸준히 올라와서 조용하고 고급스러운 식당에서 식사하는 사람들도 많지만 일반적으로는 시끌벅적한 곳에서 무제한으로 먹을 수 있는 뷔페 방식을 여전히 선호한다는 점이다.

두끼 베트남 열풍 이유 2 - 내 마음대로 레시피

베트남 사람들이 한국 음식 중에 떡볶이를 좋아하는 것은 사실이다. 베트남에 있는 한국 식당 중에 베트남 고객 비율이 높은 식당들은 떡볶이가 반찬으로 나온다. 그러나 베트남에서 떡볶이 사업을 해보겠다고 했다가 실패하신 분들이 부지기수이다. 그럼 두끼는 뭐가 다를까? 두끼는 맵기는 물론이고 들어갈 사리 등등 모든 것이 내 마음대로이다. 어떻게 만들어 먹든 내가 좋아하는 방식으로 내 입맛대로 만들어 먹기 때문에 어지간해서는 맛없다고 욕하기가 어렵다. 욕하려면 본인한테 해야지 누구한테 하겠는가. 게다가 한국 사람만큼은 아니지만 베트남 사람들도 매운 음식에 대해 거부감이 없고 자기가 직접 조리를 해먹는 재미 요소도 있다. 〈윤식당 2〉에서 배운 해외 사업에서 비빔밥을 예로 들면서 계속 말하고 있지만 "떡볶이는 이렇게 먹어야 한다."라고 가르치려 드는 순간 실패한다고 봐야 한다. 두끼는 그럴 필요가 없다.

또한 그렇기 때문에 두끼는 요식업을 할 때 가장 큰 리스크 중의 하나인 주방장 부재 시 맛의 품질 관리에 대한 리스크조차도 없다. 경영주와 맛을 책임지는 주방과의 갈등 발생 리스크 자체가 없다. 식자재만 잘 준비하면 고객이 알아서 해먹으니까 말이다.

두끼가 경계해야 할 리스크 1 – 프랜차이즈점 관리는?

베트남 두끼는 빠른 성장을 위해 베트남 전국에 프랜차이즈 매장을 운영 중이다. 이는 물 들어왔을 때 노 젓는 발 빠른 성장에는 탁월한 선택이지만 베트남 전국으로 급격히 확장되는 프랜차이즈점들에 대한 관리가 어떻게 될지가 관건이다. 본사에서 제공하는 식자재를 이용하지 않고 보다 저렴한 식자재를 쓰려고 하거나 본인들 임의로 레시피를 바꾸고자 하거나 했을 때 리스크가 있다. 계약서가 있고 베트남 가맹 본부를 따를 것이라는 믿음이야 있을 것이다. 하지만 이 기다란 나라 전국 곳곳에 흩어져 있는 매장 관리가 어떻게 될 것인지가 관건이다.

두끼가 경계해야 할 리스크 2 – 한순간에 꺼질 수 있다

어떤 업종이든 보통 베트남에서 열풍이 불면 1단계로 6개월을 본다. 6개월 후에도 성황리에 매출이 오르고 있다면 초기 진입에 성공한 것이다. 두끼 베트남은 1단계를 무난히 통과하고 제대로 자리매김을 위한 2단계 진행 중이다. 지금 베트남 전국에 공격적으로 프랜차이즈 매장들을 열고 있는데 짧은 기간 동안 한껏 달아올랐다가 한순간에 꺼질 수도 있다. 프랜차이즈 매장 관리가 안 된다면 더욱 가속화될 수 있다. 또한 한국 사람들보다도 트렌드에 민감하고 변덕이 심한 사람들이 베트남 소비자들인지라 즉석 떡볶이 뷔페의 인기가 한순간에 시들해질 수 있다. 이 부분을 염두해두어야 한다.

과감하게 떡볶이의 정체성을 버려라

베트남에서 두끼가 오랫동안 사랑받으려면 과감하게 떡볶이의 정체성을 버려야 한다. 한국에서 생각하는 떡볶이와 베트남 사람이 생각하는 떡볶이가 달라지더라도 두려워하거나 거부하지 말아야 한다. 한국에서 생각하는 떡볶이는 매운 고추장에 어묵, 당면, 파 등이 들어간다. 하지만 베트남에서는 자신들이 맛있다고 생각하는 어떤 채소나 과일이 들어가더라도 받아들이고 용인해야 한다. 그 이유는 앞서 〈윤식당 2〉의 비빔밥 사례를 통해 충분히 설명했다고 생 Z 한다.

베트남에 진출한 수많은 한국 B2C 기업 중 성공한 기업을 보기 힘들었다. 드물게 베트남 현지인들에게 폭발적인 인기를 얻고 있는 두끼 떡볶이가 꼭 성공하길 기원한다.

5

천하의 스타벅스도 고전한다

　2015년 베트남 호치민에 스타벅스 1호점이 런칭했을 때만 해도 모든 식음료 업계는 긴장했다. 먼저 진출했던 커피빈은 스타벅스에 대응하기 위해 시내 주요 자리에 매장을 확충했고 베트남 로컬 1위 커피전문점 하이랜드 커피Highland Coffee는 매장 정비에 들어갔다. 말 그대로 스타벅스가 아닌가. 세계 최고의 커피전문점 스타벅스 1호점은 말 그대로 핫 스팟이었다. 베트남 연예인부터 온갖 셀럽들이 찾아왔고 일반인들 중에도 등이 파인 파티 복장으로 한껏 멋을 내고 온 사람들로 북적였다. 그러나 그 오픈 효과는 3개월을 못 갔다. 2년간 매장 10개도 못 내고 힘들어했다.

　스타벅스마저도 여느 글로벌 식음료 브랜드들처럼 베트남 시장에서 주저앉는 것이 아닌가 싶었다. 그도 그럴 것이 베트남에 진출한 버거킹, 서브웨이, 맥도널드, 피자헛 모두 고전을 면치 못하고 있었기 때문이다. 초창기 스타벅스는 로컬 소비자들로부터는 외면을 당했으나 호치민 거주 외국인과 관광객들의 힘으로 버티는 듯했다.

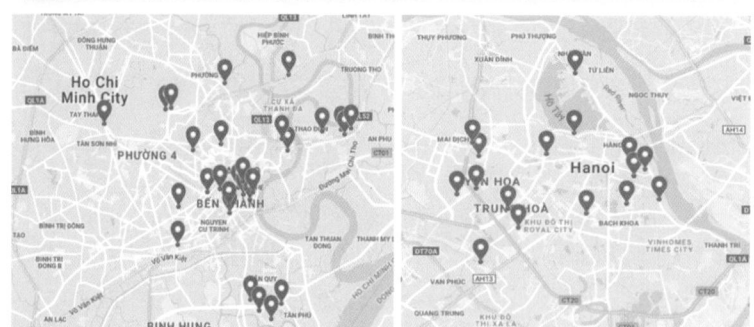

(위) 베트남 스타벅스 1호점 론칭 초창기 모습 (아래) 2017년까지 베트남에 50개 매장을 열겠다던 본래 계획보다는 2년이 늦어지기는 했지만 2019년 11월 기준으로 베트남 전국에 54개 매장을 운영 중이다.

2017년까지 베트남에 50개 매장을 열겠다던 본래 계획보다는 2년이 늦어지기는 했지만 2019년 4월 기준으로 47개 매장을 운영 중이다.

중국 스타벅스는 차 문화 국가인 중국에서 고전을 면하지 못할 것이라는 부정적인 전망을 극복하고 이제 중국 전역에 3,000여 개

베트남에는 100년이 넘는 나름의 커피 문화가 있다.

의 매장을 운영 중이다. 베트남 스타벅스도 초기의 부진을 극복하고 베트남 시장을 장악할 수 있을까? 현재로서는 그 가능성을 반반으로 보는데 부정적인 절반의 이유는 중국과 달리 베트남은 세계 2위의 커피 수출국이자 생산국이라는 점이다

1857년 베트남은 프랑스 선교사들에 의해 커피 나무가 들어와

커피를 재배하기 시작해 100년이 넘는 베트남만의 커피 문화를 만들어왔다. 그러다 보니 베트남 사람들에게는 아직 한국이나 일본에서처럼 스타벅스 커피를 들고 있으면 뉴요커가 된 것 같은 기분이 공감되지 않는다. 커피는 길거리 앉은뱅이 의자에 앉아서 마시기도 하고 진한 커피에 달디단 연유를 잔뜩 넣어 마시는 것이다. 그런데 미국에서 들어온 두세 배 비싼 커피는 베트남 사람들에게는 이질적이다. 그렇다면 베트남 사람들에게 스타벅스 커피가 비싸기 때문에 고전을 면치 못하는 것인가? 그것은 맞기도 하고 틀리기도 한데 커피 값의 절대적인 금액 때문이 아니라 정서적인 금액에 대한 반발 때문이다.

베트남 사람들이 돈이 없어서 스타벅스 커피를 못 마시는 것이 아니라 우리 식으로 표현을 한다면 1줄에 1,000원 하던 김밥을 미국 브랜드가 들어와서 3,000원 넘게 받으려고 하니 거부감이 생기는 것과 비슷한 이치이다. 이를 반증하듯 베트남 젊은 소비자들은 스타벅스 매장에서는 아메리카노 대신 알록달록한 음료를 많이 마

음료·브랜드	하이랜드 커피	더 커피 하우스	푹롱	스타벅스	커피빈
베트남식 커피	1,500~1,000원	1,300원	1,500원	없음	없음
아메리카노	2,200원	2,250~2,750원	없음	2,750원	3,250원
카페라떼	2,700원	1,900원	1,750~2,000원	4,000원	4,250원
차류	2,450원	1,900원	1,400~2,000원	2,500원	2,750원
녹차라떼	2,850원	2,600원	1,500~1,750원	3,500원	4,250원
아이스 음료	2,850원	2,250~2,750원	2,450원	3,750~4,500원	3,000~3,500원

독자들이 이해하기 쉽게 1원 = 20동 환율로 변환한 금액

커피보다는 알록달록한 그린티 라떼나 티 음료를 즐긴다.

신다. 이 음료들은 아메리카노하고 가격이 비슷하거나 더 비싸다.

베트남 스타벅스를 찾는 사람들이 많아진 것은 분명한데 문제는 베트남 고객들 대부분은 여전히 '아이스 블렌디드 음료나'나 '그린 티 라떼'를 주문한다는 것이다. 실제 베트남 스타벅스 매장에 있다 보면 아메리카노를 주문하는 사람은 대부분 외국인이다.

스타벅스뿐만 아니다. 베트남에서 최근 인기 있는 3대 카페 브랜 드인 더 커피 하우스, 푹롱, 하이랜드 커피 모두 커피보다는 아이스 티나 밀크티를 대표 상품으로 적극 홍보한다. 커피 브랜드 정체성 에 맞지 않게 운영되는 베트남 카페 브랜드들이 엉망진창이라고 말 할 수도 있다. 브랜드 아이덴티티(정체성)에 맞지 않을 수는 있으나

베트남 3대 로컬 커피 브랜드. 위에서부터 커피 하우스, 폭롱, 하이랜드 커피.

브랜드를 지키려다 저조한 매출로 브랜드가 끝나버린다면 그게 무슨 소용이 있을까? 기업이 브랜드를 만들어서 비즈니스를 시작하는 건 매출을 만들어 이익을 얻기 위해서이다. 브랜드 정체성 이전에 기업 이익 발생이라는 근본적인 목적을 생각한다면 커피 브랜드들의 변절을 마냥 비난할 수만은 없다. '전세계 커피의 대명사'라고 믿고 있을 스타벅스가 브랜드 정체성을 지키기 위해 아메리카노나 프라푸치노와 같은 커피 메뉴를 집중한다면 자신의 정체성을 지키려다 베트남 시장에서 실패하고 있는 '버거킹'이나 '맥도날드'와 같은 신세로 전락하지 않을까?

스타벅스가 인내심을 가지고 베트남 고객들이 오리지널 커피를 먹기 시작하는 그때를 기다리며 사이드 메뉴를 집중적으로 판다면 모르겠지만 브랜드 정체성에 심각한 위기가 올 수 있는데 그런 선택을 할 수 있을까? 브랜드 정체성을 유지하느라 베트남 시장에서 고전하거나 실패한 맥도널드나 서브웨이와는 반대로 브랜드 정체성을 과감하게 포기하고 팔고 싶은 것을 팔지 않고 베트남 소비자가 원하는 것을 팔며 선전하고 있는 KFC와 롯데리아 사례를 눈여겨볼 필요가 있다. 글로벌 거인들의 무덤 베트남 시장은 오늘도 치열하다.

6

베트남 패스트 푸드 시장의 승자

베트남 패스트푸드에서 치열하게 1등 다툼을 하고 있는 업체는 롯데리아와 KFC이다. 2019년 9월 기준 롯데리아는 베트남 전국에 247개점, KFC는 141개점을 운영 중이다. 점포수로는 롯데리아가 압도적으로 많다. 하지만 롯데리아나 KFC가 베트남에서 누적 또는 부분 적자이기 때문에 누가 승자라고 말하기에는 어려운 상황이다. KFC가 베트남에 처음 진출한 것이 1997년이고 롯데리아는 1998년이다. 두 업체 각기 베트남 진출 20년이 넘었지만 힘겨운 싸움을 하고 있다.

그렇다고 두 업체가 딱히 베트남에서 잘못 운영한다고 할 수 없는 것이 2012년 4,000만 달러 투자 계획을 발표하며 5년 내로 베트남 전역에 60개 매장을 운영하겠다던 버거킹은 2019년 기준 대부분의 매장을 철수하고 5개 매장만을 운영할 뿐이다. 그나마도 공항에서 운영 중인 3개 매장을 빼면 실질적으로는 일반 베트남 소비자를 상대로 하는 매장은 2개밖에 없다. 2014년 베트남에 진출해 현재 17개 매장을 운영 중인 맥도날드는 명성에 걸맞지 않은 초라한 성적표를 제시했다. 중국 역사와 전통의 상징인 자금성에도 매장을 운영하며 중국에서만 3,000개가 넘는 점포를 운영하는 맥도날드이지만 베트남에서만큼은 맥을 못추고 있다. 한국에서는 급성장하고 있다는 서브웨이는 베트남에 단 1개 매장만을 운영할 있을 뿐이다.

글로벌 패스트 푸드 브랜드들의 무덤으로까지 불리는 베트남에서는 왜 햄버거가 팔리지 않고 있으며 적자이긴 하지만 롯데리아와 KFC는 어떻게 해서 넓혀가고 있을까?

햄버거? 베트남에서는 반 미이다

베트남에는 100년 전통의 베트남식 샌드위치 반 미Banh Mi가 있다. 베트남에서 글로벌 커피 브랜드들이 고전하는 이유와도 비슷한데 프랑스 식민지 문화 속에 베트남만의 샌드위치를 만들었다. 세계 곳곳으로 퍼져나간 베트남 교민들 덕에 반 미는 세계적인 음식으로 자리잡았다. 반 미에 대해서는 책 뒤편에서 그 유래를 자세하게 설명하겠다.

좌우지간 글로벌 햄버거들보다 가격은 절반 이하로 저렴하면서 베트남 사람들의 입맛에 맞는 베트남 전통 샌드위치가 있다 보니 글로벌 브랜드들이 맥을 못 출 수밖에 없다. 특히 밀가루와 쌀가루를 적절하게 배합해 겉은 바삭하면서도 속은 부드러운 베트남 바게트와 푸석한 햄버거 브랜드들의 빵은 비교할 수도 없다.

베트남 샌드위치 반 미

  그 외에도 수많은 글로벌 리포트들은 베트남에는 햄버거 이외에도 값이 싼 각종 쌀국수와 수많은 길거리 음식이 햄버거를 대체할 수 있기 때문이라고 분석한다. 하지만 한국에도 햄버거를 대체할 값싸고 맛있는 음식은 넘쳐난다. 그럼에도 한국 사람들이 햄버거를 좋아하는 이유 중의 하나는 단순하게 한 끼 간편하게 때울 수 있는 음식물이 아닌 한국에서는 없던 미국 문화가 담긴 하나의 문화적 산물로서의 먹음으로써 서양 문화를 간접적으로 체험해볼 수 있는 매개체여서가 아닐까 싶다. 베트남 사람 입장에서는 반 미라고 하는 본래 베트남에 있던 음식의 아류 제품이니 별다른 감흥을 느낄 수 없어 보인다.

브랜드 아이덴티티를 바꿔라

KFC나 롯데리아는 햄버거 브랜드이다. 물론 KFC는 치킨 메뉴에 특화되어 있기도 하지만 기본적으로 버거가 메인이자 브랜드의 아이덴티티(정체성)이다. 그런데 도저히 햄버거로는 베트남 샌드위치 반 미를 이길 수 없자 이 두 브랜드는 과감하게 브랜드 아이덴티티(정체성)를 포기한다. 베트남 사람들이 쉽게 한 끼 식사를 할 수 있는 가격에 베트남 사람들이 좋아하는 '치밥(치킨+밥)' 메뉴를 내놓은 것이다. 비단 베트남뿐만 아니라 동남아시아 국가에서 흔히 만나 볼 수 있는 메뉴들인데 접시에 닭다리 하나와 밥 한 덩어리를 얹어놓은 메뉴이다. 브랜드 관점에서 이런 메뉴는 브랜드 정체성을 잃게 하고 저렴한 가격에 브랜드 이미지마저 훼손하는 행위이다.

그런데 브랜드 정체성을 저버리더라도 베트남 시장에서 살아 남는 것이 중요한지, 아니면 브랜드 정체성을 유지하면서 적자 폭을

KFC의 신메뉴 치킨 덮밥과 치킨 텐더 마키

하노이의 롯데리아

키울 것인지에 대한 갈림길에 마주하게 된다. 맥도널드나 버거킹은 햄버거 브랜드라는 정체성을 유지하기 위해 여전히 더블 치즈 버거와 와퍼를 메인 상품으로 홍보하고 있지만 베트남 고객들에게 외면받고 있다. 이에 비해 롯데리아와 KFC는 단가는 낮지만 쌀밥에 닭고기를 올려 먹는 메뉴를 내놓으며 베트남에서의 시장 점유율을 높혀가고 있다.

과연 누구의 선택이 옳은지는 지금도 선뜻 말하기 어렵다. 시장 점유율은 높지만 여전히 누적 적자를 기록하고 있는 롯데리아와 KFC이기도 하고 베트남 사람들의 소득 수준은 높아져가고 있어 수익 턴어라운드를 기대할 수 있다는 측면도 있기 때문이다. 한편으로는 필자가 그렇게 강조하는 베트남 2K 세대들은 햄버거 먹는 것을 딱히 꺼려 하지 않고 있어서 '치킨+밥'으로 굳어진 KFC와 롯데리아 이미지가 향후에는 불리할 수 있겠다는 생각도 든다. 그러면서도 롯데리아와 KFC는 전국 주요 길목에 200여 개 점포를 보

롯데리아의 치밥

유하고 있으니 트렌드에 맞게 햄버거로 메인 상품을 전환하면 수익
성을 거둘 수도 있지 않을까 하는 생각도 든다. 분명한 것은 늘어나
는 적자 폭 속에서 누가 더 오래 버티느냐의 싸움이 아닐까 싶다.

5장

베트남 음식 이야기

인트로

한국에서 베트남 음식이 열풍이다. 과거에 마니아들 사이에서 인기 있었던 인도 음식이나 태국 음식 열풍과는 확연히 달라 보인다. 아무래도 태국 음식이나 인도 음식에 대해서는 호불호가 갈렸지만 베트남 음식은 대체적으로 한국인의 입맛에 맞고 특히나 쌀국수의 경우 어지간한 한국인이라면 한 번씩 먹어본 스파게티처럼 토착화된 외국 음식이 되어가고 있다. 한국에 살고 있는 베트남 사람이 15만 명이 넘고 한-베 가정을 통해 지속적으로 늘어날 2세들까지 고려하면 베트남 음식은 한국 음식 같은 외국 음식이 될 것으로 보인다. 한국인이 사랑하는 베트남 음식에 대해 다루어보았다.

1

왜 베트남 음식인가?

왜 한국인은 베트남 음식을 사랑하는가

음식에는 그 나라의 역사, 문화, 사회가 다 담겨 있다. 해외 여행 중에 맛본 그 나라의 음식에는 그 여행지에서 아름답고 즐거웠던 특별한 추억이 담겨 있다. 2~3년 전부터 베트남으로 여행을 다녀 온 한국 사람들이 많아졌다. 2014년 태국에서 벌어진 군사 쿠데타와 이를 둘러싼 옐로 셔츠와 레드 셔츠의 극심한 시위는 관광객의 발길을 태국에서 베트남으로 향하게 했다.

이에 맞물려 2014년 대한항공이 '어디까지 가봤니' 베트남 시리즈 광고도 했고 저가 항공도 취항했다. 태국 방콕보다 20~30만 원 가량 더 비쌌던 베트남으로의 항공료가 저렴해진 것이다. 2012년 하하와 별이 신혼여행지로 베트남에 온 것을 시작으로 각종 예능 프로그램에도 베트남 현지 촬영이 늘어갔다. 한국 사람들한테 베트남이 익숙해지기 시작했다. 베트남으로 여행하는 사람들이 많아진

한국에서 폭발적인 인기인 베트남 음식

것이다.

기존에는 베트남 음식이라고 해봐야 베트남 쌀국수만 먹어보았
다. 그런데 여행을 통해 현지에서 맛본 다양한 베트남 음식이 한국
인의 입맛에 잘 맞는다는 것을 알게 되었다. 태국이나 인도 여행을
다녀와서 그 나라 음식을 좋아하기 시작한 분들이 많다. 하지만 그
에 못지않게 특유의 향신료 때문에 꺼려 하는 사람도 많다. 그런데
베트남 음식은 한국 사람에게 매우 친숙한 맛을 지녔다.

동아시아 + 동남아 + 유럽의 맛이 어우러진 환상의 맛이다

베트남 음식은 인근 중국 광둥 지방과 180여 년간의 프랑스 식
민지 기간으로 프랑스 음식 문화 그리고 동남아 특유의 문화가 모

두 잘 버무려져 있다. 베트남 사람들은 본인들에게 필요한 것이라고 하면 외래문화를 자신의 것으로 잘 소화하는데 음식에도 베트남 사람들의 개방적이고 합리적인 것이 잘 반영된 것이다. 그래서 베트남 음식에는 '동아시아'+'동남아'+'유럽의 식문화' 모두가 반영되어 있다 보니 어느 나라 사람이 먹어도 낯선 듯 익숙한 맛이라고 표현하기도 한다.

베트남 음식이 한국에서만 인기 있는 것은 아니다. 1975년 전쟁이 끝나고 보트 피플이 되어 프랑스, 미국, 호주 등지로 떠나갔던 사람들이 현지에서 자리잡으면서 베트남 식당들이 인기를 얻기 시작한다. 베트남식 샌드위치인 반 미는 뉴요커들 사이에서 핫한 음식으로 자리잡았다. 구글에서 '반 미 뉴욕**Banh Mi New York**'이라 검색하면 수많은 미국 베트남 레스토랑이 검색되는 것을 확인할 수 있다.

사실 2000년대 중반 한국에서 유행하던 베트남 쌀국수는 미국과 호주로 유학 갔던 한국 유학생들이 현지 대도시에 형성된 베트남 타운에서 맛보았던 쌀국수를 잊지 못해서 들여온 것이다. 당시 포호아**Pho Hoa**, 포베이**Pho Bay** 등 다양한 쌀국수 체인점들이 들어서고 반짝 인기를 얻은 적이 있었지만 쌀국수 한 그릇에 1만 원에서 1만 2,000원이라는 꽤 비싼 가격에 확장의 어려움이 있었다. 1990년대 중후반 미국 LA 한인타운에서 유행하던 LA순두부가 본고장 한국에서 일반 순두부보다 비싼 가격에 팔리던 것과 비슷한 것이다. 당시에는 미국과 호주에서 간접적으로 접해서 비싼 가격에 판매한데다 제대로 맛을 구현하지도 못해서 한국에서 정착을 못했다면 지금은 본고장 베트남에서 맛보고 들여왔다는 큰 차이가 있다.

베트남 음식인 V-푸드가 대세이다

베트남에 거주하는 한국 사람이 20만 명이고 한국에 거주하는 베트남 사람이 15만 여 명이다. 베트남과 한국은 4대 교역 국가라 오고 가는 물량도 많아져서 베트남 음식에 들어가야 할 핵심 재료들도 쉽고 저렴하게 가져올 수 있게 되었고 그 맛을 실현시킬 수 있는 베트남 사람들도 많아졌다. 서울의 왕십리나 경기도 안산처럼 베트남 사람이 많이 거주하는 지역에는 베트남 사람이 운영하는 베트남 식당도 많아졌다.

한국인으로서 베트남에서 최정상급 가수로 활동 중인 하리원Hari Won은 베트남 음식을 소개하는 영상을 제작해 유튜브를 통해 한국인들에게 꾸준히 공유하고 있다. 남편 짠 탄Tran Tan은 베트남의 유재석으로 불리는 유명한 MC이자 두 번이나 100만 관객을 돌파한 영화의 주연 배우이기도 하다.

유튜브를 통해 베트남 음식을 소개하는 하리원과 짠 탄 커플

베트남 사람과 한국 사람은 정서적으로 비슷한 것이 많다. 지리적으로는 3,000킬로미터가 넘게 떨어져 있는 나라인데 바로 이웃한 중국이나 일본보다 비슷한 정서와 문화적 요소가 많다. 그러다 보니 베트남 이주 여성 중에는 부녀회장이나 마을 이장하는 분들이 꽤 있다. 중국이나 필리핀에서 온 여성들보다 더 잘 적응하고 지내는 것 같다. 이러한 비슷한 정서와 문화적 요소가 음식에도 당연히 반영되었을 테니 한국에서 베트남 음식이 유행하는 것은 당연한지도 모른다.

이야기가 길어졌다. 주저리주저리했던 말을 정리해서 요즘 한국에서 베트남 음식인 V-푸드가 왜 유행하는지 이유는 네 가지이다. 첫째, 베트남 여행을 다녀와서 베트남 음식을 맛본 한국인들이 많아졌다. 둘째, 한국과 베트남 교역량이 늘면서 베트남 음식에 필요한 재료 구하기가 쉬워졌다. 셋째, 한국에 살고 있는 베트남 사람들이 많아지고 베트남을 잘 아는 한국 사람들이 많아졌다. 넷째, 베트남인과 한국인의 정서와 문화는 비슷한 요소가 많다.

2

베트남 쌀국수의 유래

퍼어는 베트남 민중의 음식이다

'Phở(퍼어)'는 우리가 익히 알고 있는 베트남 쌀국수이다. 베트남어로 '퍼어'(성조가 물음표 모양처럼 억양이 위에서 아래로 구부러지듯 발음하면 된다)이다. 베트남 쌀국수 중에 하나인 퍼어Pho의 유래에 대해서는 다양한데 가장 유력한 설은 다음과 같다.

100년 전 프랑스 식민지 시절 베트남 북부 남딘 지방의 항구에서 노동자들이 일하다가 간편하게 한 끼 식사로 때우며 먹던 저렴한 음식이 쌀국수였다고 한다. 당시 부두 노동자들이 먹던 쌀국수에는 채소와 값산 해산물들이 들어 있었다. 그런데 이를 본 한 프랑스인 지주가 하인에게 자신의 입맛에 맞게 쌀국수에 소고기를 넣어서 만들어보라고 했다고 한다. 농경국가에서 가장 소중한 자산인 소를 함부로 먹을 수 없었으니 소뼈를 푹 고아낸 국물에 국수를 말고 소고기 살코기를 고명으로 얹어 먹게 된 것이 지금의 소고기 쌀국수의 기원이라고 한다. 소고기 국물에 얇고 넓적한 쌀국수인 퍼어의 이름 유래도 프랑스 영향을 받았을 가능성이 높다. 식민지 시절 당시 프랑스인들이 늘 먹던 야채수프인 뽀 오 떼Pot au feu라는 음식이 있는데 지금의 베트남 쌀국수가 뽀 오 떼에서 파생되었다는 설이 가장 유력하다.

퍼어는 가난한 부두 노동자들이 한 끼 식사로 먹던 음식이었는데 프랑스인의 레시피가 더해져 지금은 베트남의 대표하는 음식이 되었다. 그런 점에서 우리나라의 짜장면이 연상된다. 일제시대 때 인천항에서 일하던 부두 노동자들이 저렴하면서도 간단하게 한 끼 때울 수 있는 메뉴를 찾다 보니 당시 부두에서 식당을 하던 화교들이 산둥 지방의 음식인 자작면을 한국식에 맞게 만들어낸 것이 짜장면이다. 대한민국과 베트남을 대표하는 면 음식이 부두 노동자들에게 사랑받던 음식이자 외국인의 영향을 받아 만들어진 대표적인 서민음식이라는 것이 재미있다.

한국이 가장 좋아하는 베트남 음식 쌀국수 퍼어

남부와 북부의 퍼어가 다르다

남부 지방은 소고기 뼈를 푹 고아서 육수를 우려내는데 하노이를 비롯한 북부 지방은 닭고기 뼈를 푹 고아서 육수를 만든다. 이 두 지역의 국물을 우려낸 방법이 달라진 데에는 사회 역사적인 배경이 있다. 프랑스와의 전쟁이 끝나고 공산 정권이 들어선 북부에서는 나라의 근간인 농업 생산을 장려하기 위해 소의 도축과 고기 판매를 금지했다. 소를 음식이 아니라 소중한 '농업 생산 수단'으로 규정했기 때문이다. 정부의 규정을 잘 지키던 북부의 쌀국수 상인들은 소 대신 닭고기 뼈로 육수를 내어 담백한 쌀국수를 먹기 시작했다.

이에 반해 오랜 세월 동안 프랑스와 미국의 영향 아래 있었던데다 남부 특유의 자유 분방함이 넘치는 쌀국수 장인들은 공안들의 눈을 피해 소고기를 도축해 제대로 된 국물 맛을 우려내다가 집기를 빼앗기고는 했다고 한다. 재미있는 것은 단속을 나온 관리들도 뇌물을 받기보다는 몰래 그 집에서 쌀국수 한 그릇을 뚝딱 해치우고는 눈을 감아줬다고 한다. 이로 인해 북쪽에서는 닭고기 뼈로 육수를 내기 시작했고 공산화가 늦은 남쪽에서는 소뼈로 우려낸 쌀국수의 본래 맛을 그대로 유지하고 있다고 한다.

호치민보다 남쪽의 메콩 델타 지역에서는 육류 대신 민물 생선과 새우 등의 해산물 쌀국수가 유명하다. 퍼어라고 하더라도 고명으로 얹어 먹는 음식은 지역마다 확연히 다르다. 우리나라에 지역마다 김치의 종류가 아주 다양하듯 베트남 쌀국수의 종류도 아주 다양하다. 베트남에는 우리가 익히 알고 있는 퍼어 이외에도 남부 메콩 델타 지방이 원조이자 당면처럼 얇고 투명한 쌀국수 후 티유Hu

위부터 시계 방향으로 분 리우, 반 깐, 후 티우, 분 보 후에 베트남의 다채로운 문화가 쌀국수에 고스란히 담겨 있다.

tieu, 한국의 수제비 반죽 같은 쫄깃한 분 막Bun Moc, 스파게티 면처럼 둥글고 다소 두꺼우면서도 얼큰한 국물이 일품인 분 보 후에Bun Bo Hue 그 외에 반 깐Banh Canh, 분 리우Bun Rieu…… 등등 국물이 있는 국수 종류만 해도 어마어마하게 많다. 국물 없이 소스에 찍어 먹고 비벼 먹는 쌀국수를 더하면 한도 끝도 없다.

　역시 음식에는 그 나라의 기후, 날씨, 자연 환경, 문화와 역사, 사회 현상까지 모든 것이 담겨 있다. 그 나라를 알려면 그 나라의 음식을 먹고 그 이면에 스며든 다양한 이야기를 살펴보는 것이 그 나라에 투자하고 진출하는 데 큰 도움이 될 수밖에 없다.

3

뉴욕커들이 반한 반 미

뉴요커들의 잇 아이템 반 미

몇 년 전까지만 해도 베트남 음식 하면 쌀국수 퍼어만 알고 있었던 한국인들도 이제는 다양한 베트남 음식 이름을 기억하며 즐겨 찾아 먹는 시대가 되었다. 다양한 베트남 전통음식 중에 프랑스 문화의 영향을 받은 유럽스러우면서도 매우 베트남스러운 음식이 있으니 바로 베트남 바게뜨 샌드위치 반 미!

반 미는 세계 곳곳에서 살고 있는 베트남 교민들 덕에 세계적인 잇 아이템으로 자리잡았다. 몇 년 전에는 뉴요커들 사이에서도 큰 인기를 끌었다고 한다. 반 미는 본래 프랑스 식민지 시절 프랑스인들이 계란 프라이와 돼지고기를 지글지글거리는 뜨거운 철판 위에 올려놓고 마요네즈와 버터 등을 바게뜨 빵에 발라서 각종 채소를 따로 놔두고 먹던 '보 빗 뗏Bo Bit Tet'라는 프랑스 음식에서 베트남식으로 변형된 음식이다. 퍼어에 이어 반 미 역시 프랑스 문화의 영

(위) 반 미 (아래) 반 미의 원조 보 빗 뗏

향을 받았다면 외국의 문화를 베트남에 가장 적합한 방식으로 변형해 받아들이는 베트남 사람들의 유연함과 개방성이 고스란히 반영된 매우 베트남스러운 음식이다.

보 빗 뗏에서 반 미로 변형된 과정에는 재미있는 창업 스토리가 있다. 하노이에서 프랑스 식당에 돼지 내장을 공급하던 응우옌 티 띤Nguyen Thi Tinh이라고 하는 여인과 남편인 레 민 응옥Le Minh Ngoc

1950년대의 호아 마와 지금의 호아 마

은 1958년 사이공(당시 호치민의 이름)으로 넘어와 보 빗 뗏 식당을
운영했다. 두 사람의 식당은 인기가 있어 손님들로 북적였다. 하지
만 학생들과 노동자들이 이 보 빗 뗏를 좋아하지만 시간이 없어 아
침 출근 시간에 제대로 먹지 못한다는 것을 알게 되었다. 그래서 생
각해낸 아이디어가 손님들이 포장해갈 수 있게 지금의 반 미와 같

베트남의 도로와 골목길 어느 곳에서나 아침부터 저녁까지 반 미를 판매하는 사람들을 만날 수 있다. 리어카에서 판매하지만 고기는 숯불에 구워서 파는 사람들도 있다.

은 8인치의 크기의 샌드위치 형태로 만들어 판 것이다. 말 그대로 대박이 났다. 베트남 최초의 패스트푸드이며 지금까지 베트남 사람들의 한 끼 식사로 사랑받는 국민 음식이 된 것이다.

그런데 참 아이러니하다. 호아 마**Hoa Ma**는 지금도 여전히 호치민 사람들에게 사랑받는 곳이긴 하지만 맛이 최고도 아니고 그렇다고 돈을 많이 번 것도 아니다. 맛으로 가장 인기 있는 곳은 호치민에 있는 후엔 호아**Huyn Hoa**라고 하는 곳인데 아침이고 저녁이고 항상 긴 줄 때문에 오랫동안 기다려야 한다. 그 외에도 길거리에서 숯불에 구운 고기나 소시지를 넣어 먹을 수 있는 다양한 레시피의 반 미가 넘쳐난다. 먼저 시작한 대박 아이템이라고 해서 꼭 좋은 결과를 보장하는 것은 아니라는 것은 상식적이다. 그런데도 막상 알게 되었을 때의 쓸쓸함은 참 오래 남는다.

4

역사와 함께한 음식

형사들이 범죄자들을 잡기 위해 위장용으로 치킨집을 운영하다가 대박을 터뜨린다는 내용의 영화 「극한직업」. 영화에 나오는 메뉴도 대박을 터뜨리고 관객 동원 역시 대한민국 영화 역대 최고 흥행 2위를 기록하며 전 국민을 웃음의 도가니로 몰아넣었다. 그런데 그 내용이 베트남의 독립 투사들에게 실제로 있었다면 믿어질까? 영화에서처럼 코믹이 아닌 베트남 역사의 진중한 이야기를 전하고자 한다.

짜 까 라 뽕은 독립투사들의 메뉴이다

베트남 음식을 그렇게 좋아하는 한국인들이지만 대부분 아직 이름조차도 못 들어보았을 음식인 '짜 까 라 뽕Cha Ca La Vong'. 베트남어 하나하나를 살펴보면 '짜Cha'는 고기나 생선 완자를, '까Ca'는 생선을 말하고 '라 뽕La Vong'은 중국의 강태공을 베트남에서 부르는 별명이다. 그래서 베트남어 그대로 직역을 하자면 '강태공의 생선 완자 구이'이다. 느닷없이 왜 강태공은 나오는지, 이 음식이 베트남 독립투사들과 무슨 연관이 있다는 것인지 답답해지기 시작할 텐데 마저 설명을 드린다.

1870년대 프랑스 식민지 시절 하노이. 애국심이 투철했던 도언 쑤언 푹Doan Xuan Phuc이라는 남성과 그의 아내 비 티 반Bi Thi Van은 프랑스 식민 정부를 상대로 독립 투쟁을 벌이던 데 탐De Tham 혁명 군 소속이었다. 혁명군의 식사를 담당했던 부부는 생선 요리를 특히 잘했다. 혁명군들이 전투에서 승리해서 돌아오면 생선구이를 해주곤 했다고 한다. 어느 날 남편 푹이 곰곰히 생각해보니 프랑스 군인들의 눈을 피해 비밀 모임을 가질 수 있도록 식당으로 위장한 아지트를 만들어야겠다는 생각을 한다. 그래서 하노이 항 썬Hang Son 거리(나중에 짜 까 거리로 이름이 바뀜)에 식당을 열어 손쉽게 구할 수 있는 민물고기로 프랑스 군인들도 좋아할 만한 메뉴로 만들어낸 것이 짜 까 라 뽕이라는 음식이다.

프라이팬에 가물치와 같은 민물고기를 볶아서 쌀국수와 함께 먹는 짜 까 라 뽕

실제로 프랑스인들에게 인기가 많았고 항 썬 거리에 차 카 라 뽕 식당들이 줄이어 생기기 시작했다. 안타깝게도 푹은 프랑스 정보망에 걸려 잡혀들어가 처형을 당했지만 끝까지 혁명대의 일원임을 밝히지 않았다고 한다. 그의 부인은 계속해서 식당을 운영했고 지금까지 자손들이 이어받아 운영되고 있다.

짜 까 라 뽕에 사용하는 물고기는 대체로 가물치이다. 베트남은 가물치가 많이 나는데 최근에 미국에 가물치 수출량이 급격히 증가해 베트남 수출 전선에 큰 기여를 하고 있다고 언론에서 보도되기도 했다. 호치민에서는 의외로 이 메뉴를 판매하는 식당들이 잘 보이지 않는다. 하노이를 가보게 되면 베트남 독립 투사들의 이야기를 곱씹어보며 드셔보기를 강력 추천드린다.

쌀국수 집이 비밀 아지트였다

베트남 전쟁 역사에서 가장 큰 전환점은 베트콩들이 1968년 음력 1월 1일 사이공에 있던 미국 대사관을 점령한 구정 대공세이다. 이 역사적인 사건의 시작은 놀랍게도 비밀 아지트 쌀국수 집에서 이루어졌다. 짜 까 라 뽕의 역사에서 100여 년이 지나 베트남 혁명가들의 비밀 아지트 식당은 또 한 번 역사를 이루어낸다.

하노이에서 프랑스를 상대로 독립운동을 하던 부부는 신분이 발각되어 호치민으로 피신해 쌀국수집을 운영한다. 독립운동가의 집안답게 부부와 아들 딸 사위 모두 프랑스 항쟁에 이어 미군정하에서 비밀 저항 운동을 펼친다. 그들이 운영하던 쌀국수 집 퍼어 빈

Pho Binh은 조직의 지령에 따라 현재의 위치로 자리를 옮기고 1층에는 쌀국수 가게를 하고 2층에는 비밀 회의 장소를 운영한다. 퍼어 빈은 음식 맛이 좋아 미군들로 항상 북적였다. 이 식당에서 벌어들인 돈은 모두 비밀 지하조직의 군자금으로 사용되었다. 이 식당의 양옆에는 미군 장교와 필리핀 장교의 숙소가 있었지만 자신들이 자주 찾는 이웃 식당이 베트남 전쟁 역사의 대전환을 일으킨 사건의 시작점이라는 것을 까맣게 모르고 있었다. 식당의 5층에는 구정 대공세에 쓰일 로켓포를 비롯한 각종 무기들이 숨겨져 있었다. 식당 식자재를 운반하는 수레에 숨겨 들여왔기에 아무도 눈치 채지 못했다고 한다.

1968년 음력 1월 1일, 비밀조직은 드디어 미국 대사관을 점령했다. 이 모습은 생생하게 미국 전역에 생중계로 방송되어 미국은 발칵 뒤집히고 만다. 베트남에서 승리하고 있다고 믿고 있었던 미국 시민들은 미국 대사관이 베트콩에 점령당하는 모습에 경악했고 미국 내에서 반전운동이 불같이 일었다. 이로 인해 당시 미국의 존슨 대통령은 다음 대통령 선거에 출마를 포기하게 되고 새로 선출된 닉슨 대통령이 미군 철수를 시작한다. 쌀국수 집에서 시작된 베트남 구정 대공세는 미국과의 전쟁 승리를 불러일으킨 것이다.

구정 대공세 이후 대대적인 색출 작업으로 쌀국수 집 장인과 사위는 잡혀들어가 모진 고문을 당했지만 끝까지 비밀을 발설하지 않았다고 한다. 이내 식당은 폐쇄되었지만 아내와 딸은 끝까지 옥바라지를 하며 식당 되찾는 것을 포기하지 않았고 결국 몇 년이 지나 소송 끝에 식당을 되찾아 지금까지 운영되고 있다. 식당 1층은 지금도 쌀국수를 팔고 있고 비밀조직들이 회합을 갖던 2층은 박물관

1층은 쌀국수 집이고 2층은 비밀 모임 장소이다. 지금도 1층은 쌀국수를 판매하고 2층은 작은 박물관이 되어 있다.

형태로 입장료를 내고 들어가볼 수 있다.

　그런데 짜 까 라 뿡 스토리와 비밀 아지트 쌀국수 집 이야기에서 공통점 하나 발견한 것 있으신가? 부부가 함께 독립운동을 했다는 것이다. 쌀국수 집에서는 딸 부부까지 함께 독립운동을 했다. 이처럼 베트남에는 여성 영웅들의 이야기도 많다. 베트남 여성 영웅들의 이야기를 자세히 다루겠다.

6장

베트남 여성 이야기

인트로

전 세계적으로 경제가 발전하고 소득 수준이 올라갈수록 그동안 짓눌려놓았던 여성의 지위는 정상화되어 가고(지위가 높아지는 것이 아니라 정상화되어 가는 중이다!) 여성들은 구매력를 보여주며 소비재 산업의 주도자로서의 위엄을 확인시켜주고 있다. 이러한 사회적 분위기를 일찍 눈치챈 세계적인 스포츠용품 회사 나이키는 여성성을 강조한 광고를 선보이며 여성 소비자들의 큰 반향을 일으키고 있다. '돈 벌어먹으려는 수단으로 젠더 감수성을 이용한 것이다.'라고 생각할 수도 있다. 하지만 세상의 방향이 그렇게 흘러가고 기업이 소비자의 방향을 일찍 알아차리고 움직인 것이니 나무라기만 할 일은 아니다.

소비자의 취향을 가장 빨리 파악하는 미국의 할리우드에서도 젠더 감수성을 재빨리 장착하고 있다. 과거 히어로 무비의 주 관객층은 남성들이었는데 이제는 여성들이 많아지고 있고 정체된 영화 산업에 여성들이 필요한 상황이 된 것이다. 실제로 남녀가 극장 데

이트를 할 때 영화 선택권은 대부분 '여성'에게 있기 때문이다. 여자 친구가 보고 싶지 않은 영화는 선택되지 않으니 남성 중심이었던 영화들이 '최종 선택권'을 가진 여성들에게 잘 보이기 위해 노력을 해야 하는 상황이 된 것이다. 할리우드의 대표적인 히어로 영화 제작사이자 가장 강한 마니아 팬을 보유한 마블은 디즈니에 인수되고서부터 여성 영웅이 주인공인 영화들을 잇달아 제작 개봉하고 있다. 이제는 젠더 감수성 없이는 비즈니스할 수 없는 시대가 되었음을 방증하는 것이다.

나는 이 책의 전반부에서 '왜 베트남 시장인가'라는 질문에 '자신이 삶의 주체인 베트남 여성'을 꼽았다. 내가 여성 소비자를 상대로 하는 화장품 업계 종사자라서 더더욱이나 여성 소비자에 집중하는 것이 사실이기는 하지만 객관적으로 베트남 여성들은 세계 어떤 여성보다도 강인하고 매력적인 사람들이다. 베트남 여성에 대한 관심을 촉구하는 차원에서 이야기를 하겠다.

1

유통 시장의 큰손
베트남 여성의 날

3월 8일은 '세계 여성의 날'이다. 우리나라에서는 '세계 여성의 날'이라는 기념일이 있는지조차 모르는 사람들이 대부분이다. 그 모름에 있어 남녀 성별 차이가 없는 것 같아 더욱 안타깝다. 사실 필자 역시 '세계 여성의 날'에 대해 알게 된 것은 베트남에서이니 할말은 없다. 간단하게 '여성의 날'에 대해 이야기를 해본다면 1908년 미국 매사추세츠 로렌스에서 열악한 환경의 작업장 화재로 여성 노동자들이 불에 타 숨졌다. 이에 분노한 어성들이 노동환경 개선, 임금 삭감 반대, 여성 참정권 보장, 노동조합의 결성을 주장하며 시작된 운동이다.

1908년 여성노동자들의 파업을 일명 '빵과 장미의 파업Bread & Roses Strike'이라고도 부른다. 여성 노동자들에게 기본 생존권(빵)뿐만 아니라 인간으로서의 존엄성(장미)도 보장해달라는 의미이다. 그래서 세계 여성의 날에 상징적으로 여성들에게 장미를 선물하기 시작했다. 1975년 유엔에 의해 공식 기념일로 지정이 되었으며 우리

1908년 미국에서는 여성 역시 인간으로서 동등한 권리가 있다는 선언이 선포되었다.

나라도 2018년부터 공식 법정 기념일로 지정이 되었다.

베트남에서는 '3월 8일 세계 여성의 날'과 '10월 20일 베트남 여성의 날' 두 번의 여성의 날이 있다. 1930년 10월 20일 베트남 여성 연합이 결성된 날을 기념한 것인데 프랑스로부터 독립을 해 하노이 바딘 광장에서 첫 국가 게양을 할 때 네 명의 대표자 중 두 명이 여성이었던 만큼 베트남에서의 여성은 남성들과 동등한 독립과 혁명의 동지이다. 그래서 베트남에서 여성의 날은 여러 모로 특별한 의미를 지닌다. '여성의 날' 시작은 엄숙했지만 요즘 베트남에서의 여성의 날은 큰 축제이다. 베트남에서도 3월 8일 '세계 여성의 날'을 크게 기념하는데 직장에서도 여성 직장 동료들에게 꽃을 선물하고 다 함께 모여 점심 회식을 한다. 요즘 젊은 남성들은 할리우드 캐릭터 분장을 해서 여성 동료들을 기쁘게 해주기도 한다.

베트남 유통 업계와 소비재 업계에서는 여성의 날이 1년 중 가장

(위) 세계 여성의 날 회사에서 동료 여직원들을 위한 이벤트 모습.
(아래) 베트남 여성의 날 기념식 퍼레이드.

큰 매출을 올릴 수 있는 대목이기도 하다. 2월 말부터 동네 꽃집은 분주해지기 시작하고 꽃값이 평소의 3배 이상 가파르게 오르기 시작하면 여성의 날이 다가왔음을 알게 된다. 도로 곳곳에 꽃바구니를 판매하는 사람들이 늘어서면 이제 D-데이임을 재차 깨닫게 된다. 연인을 위한 꽃다발과 선물이 준비되지 않았다가는 상당히 오랫동안 구박을 당하니 집에 가는 길에 값이 몇 배가 오른 꽃다발이

베트남에서는 여성의 날에 여성 소비자들을 대상으로 큰 프로모션이 진행된다.

라도 사가야만 한다. 꽃집뿐만 아니라 베이커리도 역시 여성의 날을 맞이한 케이크 판매에 열을 올린다. '여성의 날' 당일 베이커리의 주 고객들은 각 회사의 남성 직원들이다. 여성 직장 동료들을 위해 각 회사 막내부터 팀장님들까지 이벤트 준비에 여념이 없다

베트남에서 발렌타인데이는 그다지 인기가 없는 것이 3월 '여성의 날'에 보다 집중하기 때문이다. 여성 소비자를 대상으로 하는 화장품과 패션 업계의 매출은 1년 중 가장 높은 매출고를 올리는 톱 3 시즌이라 백화점과 쇼핑몰은 브랜드별로 특별 세일과 프로모션을 통해 지름신 강림을 기원한다. 화장품 업계에서 일했던 필자도 여성의 날에는 매장 곳곳을 다니며 판매직 직원들에게 일일이 장미꽃 한 송이씩 선물하며 축하받아야 할 여성의 날에 바쁘게 일함에 안쓰러움과 고마움을 표했다.

여성의 권리와 생존권 보장을 울부짖던 날이 이제는 행복하게 축

베트남 여성 아나운서들은 안경을 쓰고 뉴스 보도를 하는 것이 자연스러운 일상이다.

하받을 수 있는 날이 되었다. 아직 우리나라에서는 여성의 날 자체에 대한 존재감이 어색한데 머지않아 베트남과 같은 축제의 날이 되길 기대해본다. 여성의 날에 대한 글을 끝맺기 전에 한 가지를 덧붙인다면 베트남 여성 아나운서들은 안경을 쓰고 방송을 한다.

2018년 MBC 여성 아나운서가 안경을 쓰고 진행을 했다고 해서 화제였는데 베트남 방송국에는 안경 쓴 채로 뉴스를 진행하는 것이 늘상 있는 일이다. 안경 사건(?) 이후 당당하게 임부복을 입고 방송을 진행하는 여성 아나운서와 방송 기자들을 TV에서 볼 수 있게 되었다. 우리 사회도 정상화되고 있음에 안도의 한숨과 장미 꽃 한송이를 건넨다.

2

베트남의 유관순 보 티 사우

　2019년 3.1 혁명 100주년이자 유관순 열사가 돌아가신 지 99
년이 되는 해이기도 하다. 우리 대한민국 정부가 3.1 혁명 100주년
을 맞아 유관순 열사를 가장 높은 등급의 훈장인 건국훈장 대한민
국장을 추가 서훈키로 한 것은 늦었지만 지극히 당연한 일이다. 아
직도 인정받지 못하고 있는 우리 독립 운동가들을 제대로 평가하고
늘 당한 대접을 해드려야 한다. 우리나라와 너무도 비슷한 베트남
이야기를 하고 있는데 베트남에도 유관순 열사와 너무도 비슷한 여
성 열사 이야기를 하려고 한다. 그 이름은 보 티 사우. 1935년생인
보 티 사우는 놀랍게도 우리의 유관순 열사와 비슷한 시기에 활동
했고 비슷한 나이에 순국했다.

> 유관순: 1902~1920년 (18세 순국)
> 보 티 사우: 1935~1952년 (17세 순국)

일명 호랑이 철창이라 불렸던 형벌로 악명 높았던 콘다오 감옥

　유관순의 환생이 아닐까 착각할 정도로 순국 시기와 출생연도 그리고 비슷한 애국의 삶이 평행이론을 떠오르게까지 한다. 프랑스 식민 지배에 항거한 소녀 보 티 사우는 14세부터 반프랑스 독립운동 단체에 가입해 식량공급과 연락 임무를 맡았다. 수류탄을 던져 프랑스군 21명을 사상케 한 의거를 했으며 이후 프랑스 앞잡이이자 독립투사들을 탄압했던 경찰 참모 총장을 척결하려다 실패했다. 결국 1951년 체포되어 악명 높은 콘다오Con Dao 감옥에서 고문을 당했고 사형 선고를 받았다.

　17세 소녀 보 티 사우는 재판 과정 중에도 재판장을 향해 "식민지 침략자들을 반대하고 조국을 사랑하는 것은 죄가 아니다."라며 호통을 쳤다. 우리의 유관순 열사도 "일본 식민의 백성이 되어라"는 일본인 재판장 말에 의자를 집어 던지며 "나는 왜놈 따위에게 굴복하지 않는다. 언젠가 네놈들은 천벌을 받아 반드시 망할 것이다."라며 일갈했다. 두 사람이 같은 영혼을 지닌 것이 아닌가 싶을 정도이다.

　보 티 사우는 감옥 안에서 베트남 독립의 노래를 불러 동료들이 지치지 않게 했다는데 2019년 3월 1일 『한국일보』 박소영 기자의

재판장에게 호통을 치는 유관순과 보 티 사우(두 이미지 모두 두 영웅의 일대기를 그린 영화 한 장면이다.)

3.1절 특집 단독 기사에 의하면 유관순 열사와 같이 수감생활을 하던 감옥 8호실 동료들의 노래가 재현되었다고 한다. 국적은 달라도 나라를 빼앗긴 독립투사들의 삶은 이리도 같은가 보다.

보 티 사우는 사형 직전 마지막으로 하고 싶은 이야기가 있느냐는 재판장의 물음에 "나의 눈을 가릴 필요는 없다. 마지막까지 사랑하는 조국을 볼 수 있게 해달라."며 큰소리로 노래를 불렀다고 한다. 사형 집행 명령서를 읽는 관리들의 목소리가 들리지 않을 정도로

유관순 열사와 동료 독립투사들이 노래 부르며 투쟁한 사실을 특종 보도한 한국일보

애국 소녀 보 티 사우의 이름을 딴 베트남 학교들

혁명의 노래는 컸고 사형 집행이 시작되자 노래를 멈추고 "프랑스 식민주의자들을 처부수자." "베트남 독립 만세."를 외쳤다고 한다.

우리의 유관순 열사도 순국하기 직전 남긴 "내 손톱이 빠져나가고 내 귀와 코가 잘리고 내 다리가 부러져도 그 고통은 이길 수 있사오나 나라를 잃어버린 그 고통만은 견딜 수가 없습니다. 나라에 바칠 목숨이 오직 하나밖에 없는 것이 이 소녀의 유일한 슬픔입니다."라고 말했다고 한다. 두 사람의 이야기는 한국민과 베트남인 모두를 가슴 벅차게 만든다. 다만 너무도 다른 것은 두 사람에 대한 국가의 예우가 아닐까 싶다. 베트남은 소녀 영웅 보 티 사우의 뜻을 기리기 위해 전국 주요 길거리 이름과 전국 여러 초중등학교 이름을 보 티 사우로 명명했다.

한국이나 베트남에나 나라를 사랑하는 애국 지사는 있었는데 이 영웅들을 대하는 한국 후손들의 태도는 부족함이 너무도 많다. 베트남은 한류의 발원지인데 한국은 베트남의 애국자들을 대하는 태도를 배워야만 하겠다.

3

베트남 여성 액션 영화
-「하이 풍」

2019년 베트남을 가장 뜨겁게 달군 영화. 미국 할리우드에서만 여성 영웅 주인공이 유행하는 것이 아니다. 극 중 여주인공 이름이 영화 제목인「하이 풍Hai Phuong」베트남에서 가장 흔한 여성 이름으로 우리 식으로 하면 '덕자' 정도 되겠다. 베트남 엄마판「테이큰」이라 불리고 있는데 개인적으로는 원빈이 주연했던「아저씨」의 '베트남 엄마 버전'이라 부르고 싶다. 한국의 롯데 엔터테인먼트가 투자에 참여했고 미국 할리우드 무술 감독들과 할리우드에서 활동하는 배우 '베로니카 은고Veronica Ngo'가 주연을 맡아 영화의 완성도를 끌어올려 놓았다.

영화를 보는 내내 긴장의 끈을 놓칠 수 없을 정도로 빠른 전개와 훌륭한 액션이 어설픈 할리우드의 B급 영화보다도 재미있다. 100억 원 넘게 들여 제작했다가 흥행에 참패한 한국 영화보다도 박진감이 넘친다. 이 영화에 무엇보다도 몰입되는 이유는 세계 어떤 나라 여성보다 강한 사실적인 베트남 여성의 모습 때문이다. 베트남

베트남에는 역사적으로 여성 영웅들이 많다.

에는 역사적으로 여성 영웅이 많다. 그러다 보니 베트남 여성이니
충분히 혼자서 딸을 납치한 갱 모두를 쓰러뜨리는 게 현실적이고
사실적으로 보인다(극중 갱단의 두목 역시 여성이다).

　이 영화는 베트남 영화 최초로 미국에서도 개봉해서 관심을 받
았다. 전체 영화 흥행 성적은 550만 달러가량. 하지만 이 영화가
갖는 가치는 단순하게 흥행 성적만으로 설명할 수 없다. 지금까지
전세계에 소개된 베트남 영화들인「그린 파파야」「씨클로」 등은 가
부장적 제도 속에 억눌려 있는 순종적인 베트남 여성들의 왜곡된
모습을 보여주었기 때문이다.

　베트남 영화「하이퐁」의 세계 시장에서의 제목은「퓨리Furie」이
다. 한국에서도 넷플릭스를 통해 볼 수 있다. 베트남 영화에 관심
있는 분들에게는 강력 추천한다. 영화 이야기가 나온 김에 베트남
영화 시장에 대해 잠깐 소개를 한다.

　현재 베트남 영화 시장은 한국 기업들이 절대적인 영향력을 행사

하고 있다. 베트남에서 가장 흥행한 영화 톱 10 중 7개는 미국 할리우드 영화이고 3개가 베트남 현지 제작 영화인데 그 3개의 베트남 영화 모두 CJ 엔터테인먼트가 한국 영화를 리메이크해서 성공한 것들이다. CJ CGV는 2011년 베트남에 진출해 현지 멀티플렉스 체인을 인수해 베트남 영화관 시장 1위가 되었다. 2019년 8말 기준 베트남 전국에는 약 170개의 극장이 있는데 CJ CGV가 75개, 롯데시네마가 44개(각사 홈페이지 표기 기준)를 운영한다. 베트남 전체 극장의 70%를 한국 영화관들이 차지하고 있다. 소득 수준이 오르면 오를수록 엔터테인먼트 사업은 확대될 수밖에 없다. 베트남은 인구 1억 명에 특히나 젊은 인구가 많아 영화 산업에 대한 기대가 크다.

일본의 리서치 회사 비앤컴퍼니B&Company에 따르면 2015년 베트남에서 영화 티켓 판매는 1억 400만 달러를 기록했고 2020년에는 2억 달러로 5년 만에 100% 성장할 것으로 예상했다. 베트남 리서치 기관 비노 리서치Vina research(W&S JSC)가 베트남 관객 800명을 대상으로 한 조사에 따르면 베트남 관객들이 가장 선호하는 장르는 '액션'(76%)과 '코미디'(70.9%)를 뽑았다. 그다음으로는 어드벤처(54%)와 SF(49.9%)를 선호했다. 간단한 설문 조사이지만 실제 베트남 관객들의 반응과 다르지 않은 결과이다.

트렌드에 민감하고 새로운 것을 빨리 받아들이는 베트남 사람들이라지만 현재로서는 이 추세가 바뀔 기조는 보이지 않는다. 관객들이 좋아하는 장르 톱 4 중 코미디를 제외한 나머지 3개 '액션' 'SF' '어드벤처'는 막대한 예산과 뛰어난 컴퓨터 그래픽이 필요하니 한국 영화가 공략해야 할 부분은 '코미디'이다. 실제로 베트남에서

베트남 CGV, 롯데 시네마 영화관

리메이크해서 베트남 로컬 영화 최고 흥행을 거둔 영화 톱 3의 원작은 한국영화 「수상한 그녀」 「과속 스캔들」 「써니」이다. 바로 코믹 드라마 장르이다.

베트남에 한류가 인기이고 K-팝과 한국 드라마도 유행이니 한국영화 역시 베트남에서 인기이지 않을까 생각할 수 있다. 그런데 안타깝게도 꼭 그렇지는 않다. 필자가 앞서 "한류는 있지만 한류는 없다."라고 이야기했다. TV에서 한국 드라마가 인기리에 방영되고 있는 것은 맞지만 돈을 내고 가는 극장에서의 인기는 별개이다. 2019년 한국에서 1,600만 관객을 돌파한 대한민국 영화 흥행 역대 2위 영화 「극한직업」이 베트남에서도 상영되었지만 딱히 회자되지 못하고 종영했다. 1,700만 관객을 동원한 대한민국 역대 흥행 영화 1위 「명량」 역시 비슷한 반응으로 막을 내렸다. 인터넷에서 베트남어 자막으로 속속들이 올라오는 한국 드라마와 영화를 보고 좋아하는 것도 한류라면 한류이지만 비즈니스적인 측면에서 생각하는 그 한류와는 별다른 이야기이다.

베트남 현지 제작 영화로 최고의 흥행을 거둔 영화들이 한국영화를 원작으로 두었지만 철저히 베트남 특유의 정서와 문화를 고스란히 반영해서 완벽한 베트남 영화로 상영된 것이다. 한국영화가 원작이었다는 이유로 흥행을 한 것은 아니다. 베트남 영화 산업에 관심 있는 한국 영화 제작사가 많다. 냉정한 투자자로서 현명한 판단을 하길 바란다.

7장

베트남 부동산 투자

인트로

아는 사람의 아는 사람의 그 아는 사람까지. 정말 말 그대로 사돈의 팔촌까지 베트남 부동산 시장이 핫하지 않으냐며 베트남 부동산 시장을 문의해온다. 필자는 부동산의 '부'도 모르는 사람인데 하도 주변에서 물어봐서 답변할 내용을 미리 써둔 글이 있다. 한국에서는 베트남 부동산 시장에 대해 긍정적인 이야기만 다루고 있다. 그래서 되도록이면 리스크를 알려드리는 측면에서 베트남 부동산 시장에 대한 의견을 드린다.

1

15년 전 상하이와
지금 베트남은 다르다

포스트 차이나로 주목받으며 앞으로 안정적으로 발전할 것이 분명해 보이는 베트남. 인구 1억 명의 젊은 나라이자 안정적 정치체제, 근면한 국민성, 높은 교육열로 우수한 인력들이 넘쳐나기에 누구나 베트남의 밝은 전망을 예측하는 것은 매우 상식적이다. 사회주의 시장체제 베트남에서 2015년 7월 마침내 외국인에 대한 주택 소유 규제가 풀렸다. 그러자 드디어 부동산 빗장이 풀렸다며 해외 나가 있던 베트남 교민들, 한국인들, 중국인들의 부동산 투자 열풍이 거세다. 특히 15년 전 중국 상하이의 모습이 베트남과 너무도 비슷하다며 부동산 투자로 5~10배까지 차익을 챙긴 상하이 주재 한국인들과 중국인들의 투자 자금이 어마어마하게 들어오고 있다.

베트남 부동산 업자들과 인테리어 업자들은 상하이까지 가서 투자 설명회를 열었고 이에 호응해 투자 여행을 하는 한국인들, 중국인들이 밀려들었다. 베트남 호치민의 경우 여기저기 아파트 신축 공사가 한창이며 도심 외곽 늪지대와 밀림이었던 곳이 하루아침에 고층 아파트가 생겨나고 있다. 베트남 호치민 여기저기 신축 아파트들이 넘쳐나고 있는데 넘쳐나는 물량만큼 미분양 물량 역시 심각하다.

우선 2019년 베트남 부동산 시장을 크게 하노이 시장과 호치민 시장으로 구분해서 현황 파악을 해볼 필요가 있다. 최근 하노이 아파트 값이 많이 떨어지고 있다. 아파트 건축 중에 개발사가 부도 나기도 하고 수요 예측 없이 기회다 싶어서 마구 개발했다가 수요가 부족해서 미분양 사태가 속출하고 있다. 하노이와 호치민 부동산 시장의 근본적인 차이는 베트남 부동산 가격을 좌지우지하고 있는 외국인 수요이다. 하노이는 최근 삼성을 위시한 관계사 때문에 한국 기업들이 몰려 아파트 부족 사태가 몇 년간 이어지기는 했다. 그러나 지금은 미분양이 속출하고 있는 안타까운 상황이다. 베트남 아파트 시장을 소개하고 베트남으로 유료 투자 여행도 권하던 국내 모 언론사들이 '하노이의 이런 아파트는 조심하라'라는 꼭지로 방송할 정도로 하노이의 부동산 시장은 우울하다.

기본적으로 호치민은 하노이보다 외국인이 많이 거주하고 있고 외국 회사 자체가 몰려 있다. 즉 외국인이 아파트를 사서 외국인한테 월세를 줄 수 있는 가능성이 충분하다는 뜻이다. 최근에 많은 분들이 하노이가 수도이기 때문에 호치민보다 부동산 시장이 더 좋다고 잘못 알고 계시는 경우들이 있다. 하지만 도시 규모 자체로나 인구로나 외국인 투자 비율로나 호치민이 압도적이다.

호치민 아파트에 투자를 많이 하는 외국인들은 크게 세 가지로 분류한다. 첫째, 중국인, 특히 상하이인. 둘째, 상하이 거주 한국인. 셋째, 한국인. 모두들 호치민이 15년 전 상하이와 비슷한 상황이라며 지금이 투자 적기라며 뛰어든 사람들이다. 특히 상하이에서 아파트를 구매해서 3~10배까지 수익을 본 투자자들이 많아 다시 한 번 그때의 재미를 보고자 뛰어든 경우들이다. 그런데 15년 전 상하이를 생각하던 투자자들에게 예상하지 못했던 일들이 베트남 부동산 시장에서 벌어지고 있다.

등기부등본이 발급되지 않는다

2015년 7월 외국인도 베트남에서 주택을 구매할(실질적으로는 국가로부터 장기임대) 수 있는 신주택법이 발효되었다. 하지만 2015년 12월 10일부터 호치민 토지등록사무소에서는 막상 아파트를 구입한 외국인들에게 주택 소유권(일명 핑크 북)을 발행해주지 않고 있다. 그 이유는 공식적으로 밝혀지지 않고 있으나 필자 개인적으로는 현명한 베트남 정부가 부동산 투기 세력으로부터 부동산 시장을 방어하기 위함이라고 보고 있다.

베트남 부동산 시장이 건전하게 발전하려면 아파트 실구매자의 대다수는 베트남 중산층이어야 한다. 그런데 현재는 대부분 베트남 부자들과 외국인들이니 무엇인가 조치가 필요하다. 그러다가 외국인 투자자를 규제하면 국가 발전에 필요한 외국 자본이 못 들어오니 핑크 북은 못 내주더라도 매매 자체는 문제 없게 해주는 것이 아니가 싶다(순전히 근거 없는 필자의 생각이다). 일부에서 핑크 북을 발급받았다는 사람들도 있으나 대체적으로는 아직 못 받았다는 것이 한숨 섞인 투자자들의 대답이다.

겉표면이 핑크색이라 핑크 북이라 불리는 베트남 등기부등본

외국인이 구매할 수 있는 물량은 30%이다

핑크 북으로 불리는 등기부등본이 발급되지 않아도 현재까지는
아파트 매매가 가능하니 문제는 없다. 다만 가장 큰 문제는 2015년
7월 외국인에 대한 부동산 매매에 관한 법률 중에 '외국인이 아파트
를 구매할 때는 '아파트 한 동에 30%만' 외국인이 구매할 수 있다
는 것이다. 뭐가 문제인가 싶지만 현재로서는 자신이 구매한 아파트
가 외국인이 구매할 수 있는 30%에 해당되는지 확인할 길이 없다
는 것이다. 핑크 북(등기부 등본)이 나와야 확증이 되는 것이다. 그런
데 나중에 30%에 해당되지 않은 아파트를 구매한 것을 알게 되면
해당 아파트 매매는 취소된다. 그리고 취소된 매매에 대해서는 아파
트를 매매한 사람과 민사 소송을 통해 해결해야 한다. 나에게 매매

한 사람이 베트남에 있을지 없을지도 모르지만 있다 한들 멀리 타국 베트남에서 민사 소송이라…… 아득하다.

한국정부의 외국환거래법 조사가 시작됐다

그리고 지금 베트남에 아파트를 구매하는 한국인들의 경우 한국에서 투자 목적 외화 반출을 제대로 신고하지 않고 베트남 현지에서 교민들과 환치기를 통해 아파트를 구매하는 경우가 상당수이다. 현재로서는 아무 문제없으니 앞으로도 문제없다고 계속적인 환치기를 부추기며 부동산 투자를 현혹하는 사람들이 많다. 최근 한국 관계 기관에서 해외 투자 신고 없이 베트남에서 주식 투자나 부동산 투자하는 돈을 조사하고 있다는 언론 보도가 나왔다

그리고 필자의 근거 없는 단순한 예측이지만 향후 3~4년 내에 베트남 정부에서 핑크 북을 발행해줄 것으로 보이는데 대신 베트남에서 부동산을 구매한 외국인들한테 자금 출처를 물을 것으로 보인다. 합법적으로 자금이 유입되지 않은 거래에 대해서는 최소 매매 금액의 40~50% 벌금을 부과하지 않을까. 베트남 정부는 합리적이라 외국인 투자가 위축되지 않게 100% 몰수를 시키거나 하지는 않을 것이다. 다만 한국에서도 추징당하고 베트남에서도 추징당하면 원금이나 제대로 건질 수 있을지 모르겠다.

한국으로 부동산 투자금 회수는 힘들다

구입한 아파트를 적절한 타이밍에 매매를 해서 시세 차익을 챙긴 투자가 꽤 있다! 그 돈은 어떻게 한국으로 회수할 수 있을까? 전에는 교민들하고 환치기해서 해결하는 것이 그리 어렵지 않았다. 그런데 그 방식으로 아파트를 매매하는 사람들이 급격히 늘어나면서 최근 한국 관계 기관에서 외국환거래법 때문에 환치기하는 투자자들의 계좌를 주시하고 있어서 2억 원에서 4억 원이나 하는 돈을 한꺼번에 환치기하기가 어려워졌다. 미국 달러로 환전해서 베트남 밖으로 가져나갈 수 있는 돈은 5,000달러. 어떻게 더 노력해서 1만 달러를 가지고 나간다 하더라고 몇 번을 베트남을 오고 가야 할지 막막하다.

그렇다면 연 6~9%의 높은 이율의 베트남 은행 정기예금에 가입하고 시기를 지켜보겠다고 말씀하는 분들도 있다. 2019년 7월까지는 그런 방식이 가능했다. 그런데 최근에 법이 바뀌어서 베트남 거주 외국인 중 취업 비자나 투자 목적 비자 소지자가 아니면 베트남 은행에 정기예금이나 적금을 가입할 수 없게 되었다. 한국 돈 2억 원이면 베트남 동으로 40억 동인데 그렇게 큰돈을 갑자기 입금을 하게 되면 자금 출처를 증명해야 하는 상황이 되었다. 사실 2~3년 전만 해도 베트남 동으로 가입은 묻지도 따지지도 않고 다 받아주었다만…… 옛날이야기다. 그러니 베트남 부동산 투자에 대해 판단을 잘해야 한다.

최근 추세는 50년 장기 임대로 가고 있다

핑크 북(등기부등본)이 발급되지 않아 아파트 개발사를 상대로 소송을 제기하는 외국인들이 늘어 베트남 부동산 시장이 긴장하고 있다. 그래서 부동산 에이전시들이 대안으로 내세우는 것이 아파트 개발사로부터 50년간 장기 임대이다. 그런데 이 역시도 리스크가 있다.

내 소유가 아닌 말 그대로 장기 임대이다

이론적으로는 장기 임대하는 것이 매달 임대료를 내는 것보다 저렴하다. 하지만 사람 심리가 내 소유여야만 마음이 편한데 내 것이 아닌 것이라 구매를 꺼리게 될 수밖에 없다. 게다가 50년 장기로 계약 체결 후 30년 후에 임대권을 다른 사람에게 양도하면 그 사람의 임대 권리는 20년밖에 안 남는다. 내 장기 임대권의 가치가 갈수록 떨어질 수밖에 없다. 그래서 호치민의 장기 임대 아파트들에 대한 반응이 시원치 않다

장기 임대 개발 업체가 부도날 수 있다

50년 장기 임대를 해준 업체가 파산하거나 부도가 나면 내 아파트는 어떻게 될까? 현재로서는 베트남에서 외국인들을 위해 보호해줄 만한 법적 문구가 없다. 보호를 받을 만한 어떤 법적 문구가 있다 하더라도 외국인한테 제대로 적용되기 어렵다.

장기 임대에 대한 예는 아니지만 2016년에 일반 아파트 분양 잔금을 다 치르고 베트남 입주민들이 신축 아파트에 입주하고 핑크

북을 기다리고 있었는데 아파트 개발사가 부도나는 바람에 못 받는 사태가 벌어졌다. 해당 아파트는 개발사에 돈을 대출해준 은행 소유가 되어버렸고 입주해서 생활하던 입주민들은 보상도 못 받고 한순간에 내쫓기게 된 것이다.

베트남 부동산 투자는 리스크가 있는 만큼 고수익을 기대할 수 있는 것도 사실이다. 다만 투자자들 스스로가 현혹하는 말을 검증 없이 받아들이지 말고 충분히 리스크를 확인해보길 바란다.

에필로그

2011년 베트남에 처음 왔을 때 베트남에서 10년 넘게 사업을 하고 계시는 분들이 하나같이 하시는 말씀이 있었다.

"베트남 1년 차 때는 모든 것이 쉬워 보이고 베트남의 여러 문제와 그에 대한 해결책이 손쉽게 떠오를 것이다. 자네가 닿고자 하는 목표가 손에 닿을 듯 말 듯한 상황이 될 것이다."

"베트남 3년 차가 되면 손에 닿을 듯했던 목표 달성은 더욱 멀어져 있고 지난 3년 여간 알고 있었던 베트남에 대한 생각에 의심을 품게 될 것이다."

"베트남 5년 차가 되면 자네가 알고 있던 베트남은 전혀 다른 모습으로 보일 것이고 알고 있다고 생각했던 것들은 전혀 다른 것이 되어 있을 것이고 믿고 알고 지내던 사람들에게서 뒷통수를 맞고 실패를 겪고 베트남 생활에 대해 분노하고 후회하게 될 것이다."

"베트남 7년 차가 되면 대충 어떤 일이 벌어질지 예상할 수 있어 예측하지 못해 화를 내거나 당황해할 일들이 좀처럼 벌어지지 않고 문제가 발생한다 하더라도 주변에 믿고 의지할 만한 베트남 친구나 파트너들이 있고 어떻게 해결해야 할지 알 수 있고 과감하게 포기해야 하는 것은 어느 정도 감수해야만 하는지를 일찍 깨닫게 될 것이다."

"베트남 10년 차가 되면 이제 베트남이라는 나라가 어떠한 나라인지 대충은 알겠지만 함부로 베트남을 안다고 말하지 않으며 베트남에서는 되는 것도 없고 안 되는 것도 없다는 것을 남에게 설명을 할 수 있으며 운이 좋으면 베트남에 처음 왔을 때 달성하고자 했던 목표에 살짝 도달할 수도 있는 경지에 오르게 될 것이다."

처음에는 나이드신 분들이 선배랍시고 거창하게 이야기를 하는 것이려니 했다. 그런데 신기하게도 베트남에서 지내면 지낼수록 그 단계별로 벌어지는 일들이 벌어졌다. 베트남에 와서 일을 한 지 이제 10년 차. 감히 베트남이 어떻다고 말할 수 있는 단계는 아직 아닌데 이렇게 책을 내게 된 것은 다양한 업종에서 상담하러 오는 분들의 궁금증들이 비슷해서 조금이나마 도움을 드리고자 함이다. 찾아오시는 분들의 고민과 궁금증 대부분은 베트남에서 직접 겪어 보지 않으면 절대 이해할 수 없는 것들이다. 아무리 이 책을 수십 번 읽어도 베트남 시장에 막상 뛰어들 때는 당황스럽고 어려운 상황에 처할 것이다. 그것이 베트남 시장이다.

그래도 그간 수많은 업체들을 상담해서 받은 피드백은 "이야기를 들을 당시에는 이해가 안 되고 납득할 수 없었는 것들이 막상 문제에 부딪히면 무엇을 뜻했던 것인지 뒤늦게 알게 되었다"는 것이다. 베트남 시장에 대해 한 번에 다 이해할 수 있다고 조급하게 생각하지 마시길 바란다. 그렇게 금방 이해될 쉬운 시장이었다면 글로벌 기업들이 이미 다 좌지우지하고 있었을 테고 우리에게는 기회가 없었을 것이다.

베트남의 변화는 어제와 오늘이 다를 정도이다. 이 책을 통해 전하고자 하는 정보가 오래전 이야기가 될지도 모르겠다. 하지만 베트남을 투자하고 시장에 진출할 때 막막한 안개 속에서 여기저기 두들겨볼 수 있는 막대기 역할을 할 수 있기를 기대해본다.

왜 베트남 시장인가

초판 1쇄 인쇄 2019년 12월 4일
초판 1쇄 발행 2019년 12월 12일

지은이 유영국
펴낸이 안현주

펴낸곳 클라우드나인　　**출판등록** 2013년 12월 12일(제2013-101호)
주소 우) 04055 서울시 마포구 홍익로 10(서교동 486) 101-1608
전화 02-332-8939　　**팩스** 02-6008-8938
이메일 c9book@naver.com

값 16,000원
ISBN 979-11-89430-47-4　03320